Cuisine au Wok

HACHETTE

CUISINE AU WOK

Auteurs : Catherine Atkinson, Juliet Barker, Gina Steer,
Carol Tennant, Liz Martin, Mari Mererid Williams et Elizabeth Wolf-Cohen

Photographie : Colin Bowling, Paul Forrester et Stephen Brayne

Packaging : Domino
Traduction : Olivier Cechman
Adaptation française : Martine Knebel

Couverture : Nicole Dassonville

ISBN : 2-012-36693-7
Dépôt légal : février 2005
23-27-6693-05/8

Imprimé en Chine

SOMMAIRE

SOUPES ET ENTRÉES

POISSONS ET FRUITS DE MER

VIANDES

VOLAILLES

RIZ ET NOUILLES

PLATS DE FÊTE

L'hygiène dans la cuisine

Il est bon de se rappeler que de nombreux aliments sont susceptibles de véhiculer diverses bactéries. Dans la plupart des cas, le risque se cantonne à une intoxication ou une gastro-entérite, mais le problème peut être plus grave. On peut toujours limiter le danger ou le supprimer avec une bonne hygiène, tant au niveau des produits que des méthodes de cuisine.

N'achetez rien qui ait dépassé la date limite de vente et ne consommez aucun produit atteignant la date limite de consommation. En faisant vos courses, utilisez vos yeux et votre nez. Si un produit a l'air fatigué, ramolli ou une couleur douteuse, ou bien une odeur fétide, âcre ou simplement déplaisante, ne l'achetez ou ne le mangez sous aucun prétexte.

Prenez un soin tout particulier à la préparation de la viande et du poisson crus. Attribuez de préférence une planche à découper différente à l'une et à l'autre. Lavez soigneusement le couteau, la planche et vos mains avant de manipuler ou de préparer tout autre aliment.

Videz, dégivrez et nettoyez régulièrement le réfrigérateur ou le congélateur. Profitez-en pour vérifier la durée de validité sur les emballages. Évitez de manipuler la nourriture si vous souffrez d'une gastro-entérite car vous pourriez lui transmettre les bactéries.

Tous les torchons et serviettes doivent être changés et lavés régulièrement. Dans l'idéal, utilisez des accessoires jetables à remplacer quotidiennement. Si vous utilisez des éléments en tissu, faites-les tremper dans de l'eau de javel et lavez-les à 90 °C. Veillez à la propreté de vos mains, des ustensiles et de tous les plans de travail. Ne laissez pas les animaux domestiques y accéder.

Les achats

Évitez autant que possible les achats massifs, surtout en ce qui concerne les produits frais comme la viande, la volaille, le poisson, les fruits et les légumes, à moins qu'ils soient destinés à la congélation. Les aliments frais perdent rapidement leur valeur nutritive, donc l'achat en moindre quantité limite les pertes d'éléments nutritifs. Par ailleurs, un réfrigérateur trop chargé perd aussi de sa capacité de réfrigération.

Lorsque vous achetez des produits pré-emballés tels que les conserves ou les pots de crème et de yaourt, vérifiez que l'emballage est parfaitement intact, ni endommagé ni percé. Vérifiez la date limite de vente, y compris sur les conserves et sur les paquets d'épicerie sèche comme la farine et le riz. Rangez les produits frais dans le réfrigérateur le plus tôt possible. Quand vous achetez des produits congelés, assurez-vous que l'emballage n'est pas recouvert d'une épaisse couche de glace et que le contenu est congelé en totalité. Vérifiez que le meuble où ils sont présentés est au bon niveau de température, inférieure à – 18 C°. Transportez-les dans des sacs isothermes et rangez-les dans le congélateur le plus vite possible après l'achat.

La préparation

Assurez-vous que toutes les surfaces de travail et les ustensiles sont propres et secs. L'hygiène doit être une préoccupation majeure à tout moment.

Il est recommandé d'utiliser des planches à découper différentes pour la viande, le poisson et les légumes. Il existe des planches en plastique de bonne qualité de formes et de teintes variées.

D'une part, elles permettent de différencier plus facilement les utilisations, d'autre part le plastique, peut supporter une température élevée dans le lave-vaisselle. Un petit conseil : après l'utilisation de la planche pour le poisson, lavez-la d'abord à l'eau froide puis à l'eau chaude pour éviter les odeurs. Rappelez-vous aussi que les couteaux et autres ustensiles doivent être soigneusement nettoyés après usage.

Dans votre organisation de cuisine, veillez à garder bien séparés les aliments crus et cuits pour éviter toute contamination. Il est préférable de rincer tous les fruits et légumes, que vous les consommiez crus ou non. Cette règle s'applique aussi aux herbes et salades préparées.

Ne réchauffez pas les plats plus d'une fois. Si vous utilisez un four à micro-ondes, vérifiez toujours que la nourriture « chantonne » tout au long du réchauffage. En théorie, la température doit atteindre 70 °C et y rester au moins trois minutes pour que les bactéries soient tuées à coup sûr.

Toutes les volailles doivent être complètement décongelées avant l'utilisation, y compris les poulets et les coquelets. À la sortie du congélateur, placez les produits à décongeler dans un plat peu profond pour recueillir le jus. Laissez-les dans le réfrigérateur jusqu'à ce qu'ils soient complètement décongelés. Cela prendra environ 26 à 30 heures pour un poulet entier de 1,4 kg. Pour accélérer le processus, immergez le poulet dans l'eau froide. Cependant n'oubliez pas de changer l'eau régulièrement. Lorsque les jointures bougent librement et qu'il ne reste plus de cristaux de glace dans la cavité abdominale, la volaille est décongelée.

C'est alors le moment de sortir le poulet de son papier d'emballage et de le sécher. Posez-le dans un plat peu profond, couvrez-le et placez-le le plus bas possible dans le réfrigérateur. Il devra être cuit dans les délais les plus brefs.

Un certain nombre d'aliments peuvent être cuits alors qu'ils sont encore congelés, comme de nombreux plats préparés, les potages, les sauces, les ragoûts et le pain. Suivez bien les instructions portées sur l'emballage. On peut aussi cuisiner les légumes et les fruits encore congelés mais la viande et le poisson doivent être préalablement décongelés. Le seul cas où la nourriture peut être recongelée est lorsqu'elle a été complètement décongelée puis cuite et refroidie. La conservation ne devra pas excéder un mois.

Toutes les volailles et le gibier, à l'exception du canard, doivent être bien cuits. Le sang ne doit plus perler des parties les plus épaisses, la meilleure zone de test étant la cuisse. Les autres viandes comme la viande hachée et le porc doivent également être bien cuits. Le poisson doit devenir opaque, avoir une texture ferme et se séparer facilement en gros fragments. Lorsque vous accommodez les restes, veillez à les réchauffer à feu vif et à ce que le point d'ébullition ait été atteint pour les soupes et les sauces.

Le stockage, la réfrigération et la congélation

La viande, la volaille, le poisson, les fruits de mer et les produits laitiers doivent tous être conservés au réfrigérateur. Celui-ci doit fournir une température entre 1 et 5 °C, et le congélateur doit toujours être en dessous de – 18 °C.

Pour garantir la constance de ces températures, évitez de laisser les portes ouvertes trop longtemps.

Essayez de ne pas surcharger le réfrigérateur ce qui gêne la circulation de l'air et diminue d'autant la réfrigération des aliments.

Avant de les mettre au réfrigérateur, laissez refroidir les plats cuisinés. Si vous les rangez encore chauds, ils font monter la température du réfrigérateur, ce qui peut abîmer ou même gâcher les autres aliments.

Les aliments contenus dans le réfrigérateur et le congélateur doivent toujours être couverts.

Les aliments crus et cuits sont placés dans des parties séparées du réfrigérateur : les plats cuisinés sur les clayettes supérieures, la viande, la volaille et le poisson crus sur celles du bas pour éviter les écoulements et la contamination croisée.

Il est recommandé de garder les œufs au réfrigérateur pour maintenir leur fraîcheur et leur durée de conservation. Prenez garde à ne pas laisser trop longtemps des aliments dans le congélateur.

Les légumes blanchis peuvent y rester un mois, le bœuf, l'agneau, la volaille et le porc pendant six mois, les légumes non blanchis et les fruits au sirop pendant un an.

Les poissons gras et les saucisses peuvent être conservés pendant trois mois. Les produits laitiers peuvent durer de quatre à six mois, les gâteaux et pâtisseries de trois à six mois.

Les aliments à haut risque

Certains aliments peuvent comporter des dangers pour les personnes âgées, les femmes enceintes, les bébés et enfants en bas âge, les individus souffrant d'une maladie chronique ou passagère. Il est sage de leur éviter les produits ci-dessous qui appartiennent à la catégorie à haut risque. Même si c'est rare, il peut arriver que certains œufs soient porteurs de salmonelles. Pour écarter toute menace, faites cuire les œufs jusqu'à ce que le jaune et le blanc soient fermes. Soyez particulièrement attentif aux plats et produits contenant des œufs crus ou à peine cuits qui sont à proscrire. Les sauces comme la sauce hollandaise, la mayonnaise, les mousses, les soufflés et les meringues contiennent des œufs crus ou à peine cuits, tout comme les mets à base de crème anglaise, les crèmes glacées et les sorbets, et sont considérés comme dangereux pour les individus fragiles.

Certaines viandes et volailles peuvent aussi présenter un risque de salmonelles et doivent être bien cuites, jusqu'à ce que le jus soit clair et que la chair ne présente plus aucune trace rose. Les produits non pasteurisés comme le lait, le fromage, surtout les fromages à pâte molle, les pâtés et terrines, la viande crue ou cuite, tous, porteurs potentiels de listeria, sont à éviter.

Lorsque vous achetez des produits de la mer, choisissez un bon poissonnier qui pratique une rotation des produits rapide qui garantisse leur fraîcheur. Le poisson doit avoir l'œil clair et vif, l'écaille brillante et les branchies rouges ou rose vif. Il doit être ferme au toucher avec une légère odeur de mer et d'iode. La chair des darnes ou des filets doit être translucide, sans trace de décoloration.

Les mollusques, comme les coquilles Saint-Jacques, les palourdes ou les moules doivent être vendus frais et encore vivants. Évitez ceux qui sont ouverts ou ne se referment pas lorsqu'on les tapote. De même les univalves comme les coques ou les bigorneaux doivent se réfugier dans leur coquille au moindre contact. Lorsque vous choisissez des céphalopodes, comme les calamars ou les poulpes, ils doivent avoir la chair ferme et une agréable odeur iodée. Tout comme les poissons, tous les produits de la mer demandent des précautions lors de la congélation. Il est impératif de vérifier que le poisson n'a pas été précédemment congelé. Si c'est le cas, vous ne devez absolument pas le recongeler.

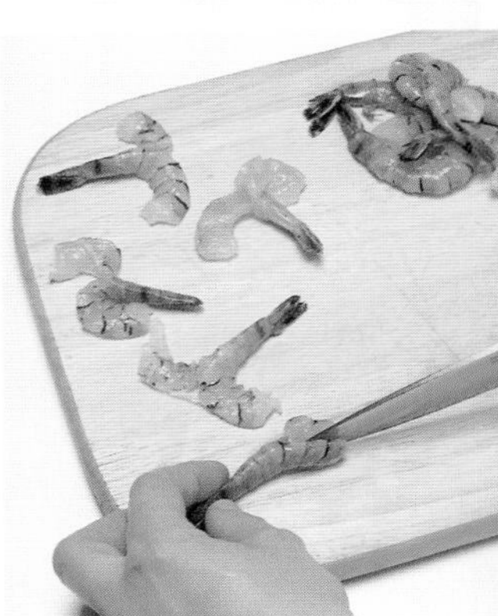

Les ingrédients

Ainsi qu'on va le voir dans ce livre, le wok n'est pas seulement destiné aux plats chinois et thaïs. Cependant, c'est aux cuisines d'Extrême-Orient qu'il est le plus étroitement associé. La liste qui suit contient les ingrédients de base qui donnent à ce type de préparations leur goût spécifique.

Pousses de bambou

Il s'agit des jeunes pousses comestibles de certains types de bambou. Aujourd'hui, on les trouve en boîte dans tous les supermarchés. De couleur crème, elles nous arrivent entières ou en tranches épaisses. Rincez-les sous l'eau fraîche avant de les préparer. Conservez au réfrigérateur, couvert d'eau, en boîte étanche. En changeant l'eau quotidiennement, on peut les conserver une semaine.

Haricots de soja

Pour se conserver, ces petits haricots noirs sont salés et fermentés. Ils ont un arôme savoureux et un goût salé caractéristique. Ils sont généralement préparés avec de l'ail et des oignons de Chine ou du gingembre (comme dans la sauce aux haricots noirs) et utilisés comme assaisonnement. On les trouve secs en sachet ou en conserve à la saumure (dans les magasins de produits asiatiques).
Quel que soit le type choisi, lavez-les à l'eau claire avant utilisation.
Les haricots secs se conservent presque indéfiniment, de même que les conserves, si on prend soin de les laisser dans leur eau, dans un récipient hermétiquement fermé, au réfrigérateur.

Piments

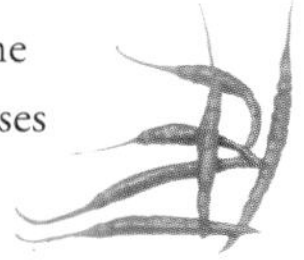

Ce sont des ingrédients indispensables de la cuisine chinoise et thaïlandaise, il en existe de nombreuses variétés, qu'on peut trouver fraîches, dans la plupart des supermarchés. Tous sont à employer avec précaution au début. Vous vous habituerez à leur feu et apprendrez à les doser à mesure de l'utilisation. En règle générale, les plus petits sont les plus forts et les rouges sont plus doux que les verts.

Ouvrez les piments en deux dans la longueur, enlevez la queue et les pépins qui sont plus brûlants que la chair et préparez selon la recette. Si vous n'avez pas utilisé de gants en caoutchouc pour les manipuler, ne portez pas vos mains à votre visage et surtout pas à vos yeux. Lavez-vous soigneusement les mains, ainsi que le couteau et la planche à découper avant toute préparation ultérieure.
Les Chinois et les Thaïlandais cuisinent aussi les piments séchés avec les graines, entiers, détaillés en bâtonnets ou écrasés. On peut également les faire tremper dans de l'eau presque bouillante avant de les employer. On élimine assez souvent les piments de la préparation avant de servir.

Sauce de piments aux haricots

C'est une sauce, ou une pâte, plutôt forte, assez épaisse, à base de haricots de soja et de piments auxquels s'ajoutent d'autres condiments. On la trouve en petits bocaux sur les étagères de certains supermarchés et des magasins de produits asiatiques. Conservez-la au réfrigérateur.

Sauce de piments

C'est une sauce à base de piments rouges, de vinaigre, de sucre et de sel, plutôt très forte. On l'utilise en cuisine mais aussi telle quelle, en y trempant les pommes chips, par exemple. Il existe aussi des sauces pimentées plus douces.

Noix de coco

Ingrédient très utilisé en cuisine thaïe, sous différentes formes : frais, flocons secs, poudre, jus, crème et lait en conserve. Les recettes de ce livre spécifient le type de noix de coco qui convient. On trouve maintenant du lait de coco dans tous les supermarchés.

Coriandre fraîche (persil chinois)

Les Thaïlandais sont très friands de cette herbe qui est l'une des seules utilisées en cuisine chinoise. Les feuilles ressemblent à celles du persil plat et l'on pourrait presque les confondre si la coriandre n'avait pas un goût beaucoup plus prononcé et une odeur plus acre. La coriandre est vendue en bouquet, souvent avec ses racines qu'on écrase pour les intégrer aux pâtes de curry. Les graines de coriandre sont ajoutées entières dans les mets orientaux ou écrasées, en poudre. On la trouve, en bouquet ou en graine, dans les supermarchés, fraîche, avec ses racines, dans les épiceries asiatiques.

Farine de maïs (Maïzena)

Les Chinois s'en servent pour épaissir et lier les sauces et les marinades, pour enrober les viandes et protéger les aliments avant de les frire. Pour obtenir une sauce liée et veloutée, délayez la Maïzena dans un peu d'eau froide. Quand elle est lisse, ajoutez-la à la sauce du wok et réchauffez doucement, en mélangeant bien, sans bouillir.

Sauce de poisson

Ingrédient de base, indispensable et irremplaçable, de la cuisine thaïe. Fabriquée à base de poisson et de fruits de mer fermentés, elle ajoute aux plats une saveur très distincte et légèrement salée. On la trouve dans un grand nombre de supermarchés et dans les épiceries asiatiques.

Ail

C'est l'un des assaisonnements essentiels utilisé sous différentes formes. On le met à mariner dans du vinaigre ou de l'huile avant de l'utiliser pour agrémenter les plats et les sauces, souvent accompagné d'autres ingrédients. En Thaïlande, l'ail est plus petit et de goût légèrement différent mais l'ail européen, surtout l'ail rose, peut parfaitement convenir.

Gingembre et galangal

La racine fraîche de gingembre est un ingrédient indispensable de la cuisine chinoise. Fraîche et râpée ou confite au sucre, elle donne une saveur forte, acre et sucrée aux mets qu'elle relève. Proche et utilisée de la même façon, la racine de galangal est un des éléments de la cuisine thaïe. On trouve le gingembre frais dans les supermarchés et le galangal dans les magasins asiatiques.

Sauce hoisin

C'est une sauce épaisse, brun rouge, à base de haricots de soja, de vinaigre, de sucre et d'épices. À la fois douce et épicée, elle est particulièrement utilisée par les Chinois, notamment pour accompagner le canard à la pékinoise. Elle se garde presque indéfiniment au réfrigérateur. À découvrir dans les magasins de produits asiatiques.

Citronnier kaffir

Ce petit citronnier est originaire d'Afrique du Sud et de l'Asie du Sud-Est. Il donne des petits fruits jaunes-vert à l'écorce ridée. Mais on utilise essentiellement ses feuilles d'un vert foncé brillant, et au parfum de citron prononcé. Dans la cuisine thaïlandaise, on les utilise entières, dans les potages et les ragoûts, et hachées finement dans les sautés. On les trouve séchées, en sachet dans les épiceries asiatiques. Surgelées en petites portions dans de petits sacs de congélation, elles se conserveront mieux que séchées.

Citronnelle

Cette herbe est couramment employée en cuisine thaïlandaise. Plus sèche et plus dure que l'oignon de printemps auquel elle ressemble par la forme, elle donne un goût de citron épicé à la nourriture (mais le citron habituel ne peut la remplacer). Épluchez la citronnelle en enlevant les feuilles supérieures les plus dures et coupez-la en fines rondelles.

Huile

La cuisine au wok est surtout une cuisine à l'huile. La plus courante est l'huile d'arachide, très neutre, qui supporte le mieux les plus hautes températures (jusqu'à 200 °C). C'est donc l'huile idéale tant pour saisir, poêler et sauter que pour la friture. Vous pouvez la remplacer par de l'huile de pépin de raisin, de tournesol et de maïs.
N'utilisez pas les huiles de noix, de soja ou de colza qui ne supportent pas d'être trop chauffées. L'huile d'olive a un goût un peu trop prononcé pour cette cuisine.
L'huile de sésame, épaisse, riche, n'est employée qu'après la cuisson car elle brûle facilement ; mais son goût de graines grillées est particulièrement adapté à la cuisine extrême-orientale.

Vinaigre de riz

Il en existe plusieurs types, dont la saveur va de l'épicé et légèrement âpre à l'aigre-doux et au piquant. Le vinaigre de riz blanc est le plus courant ; c'est un vinaigre clair, de saveur douce. Remplacez-le éventuellement par du vinaigre de cidre. La saveur riche et veloutée du vinaigre de riz noir permet de l'utiliser dans les plats et les sauces aigres-doux. On peut le remplacer par du vinaigre balsamique. Le vinaigre de riz rouge, doux et épicé, s'utilise surtout en sauce pour accompagner les crevettes et d'autres fruits de mer.

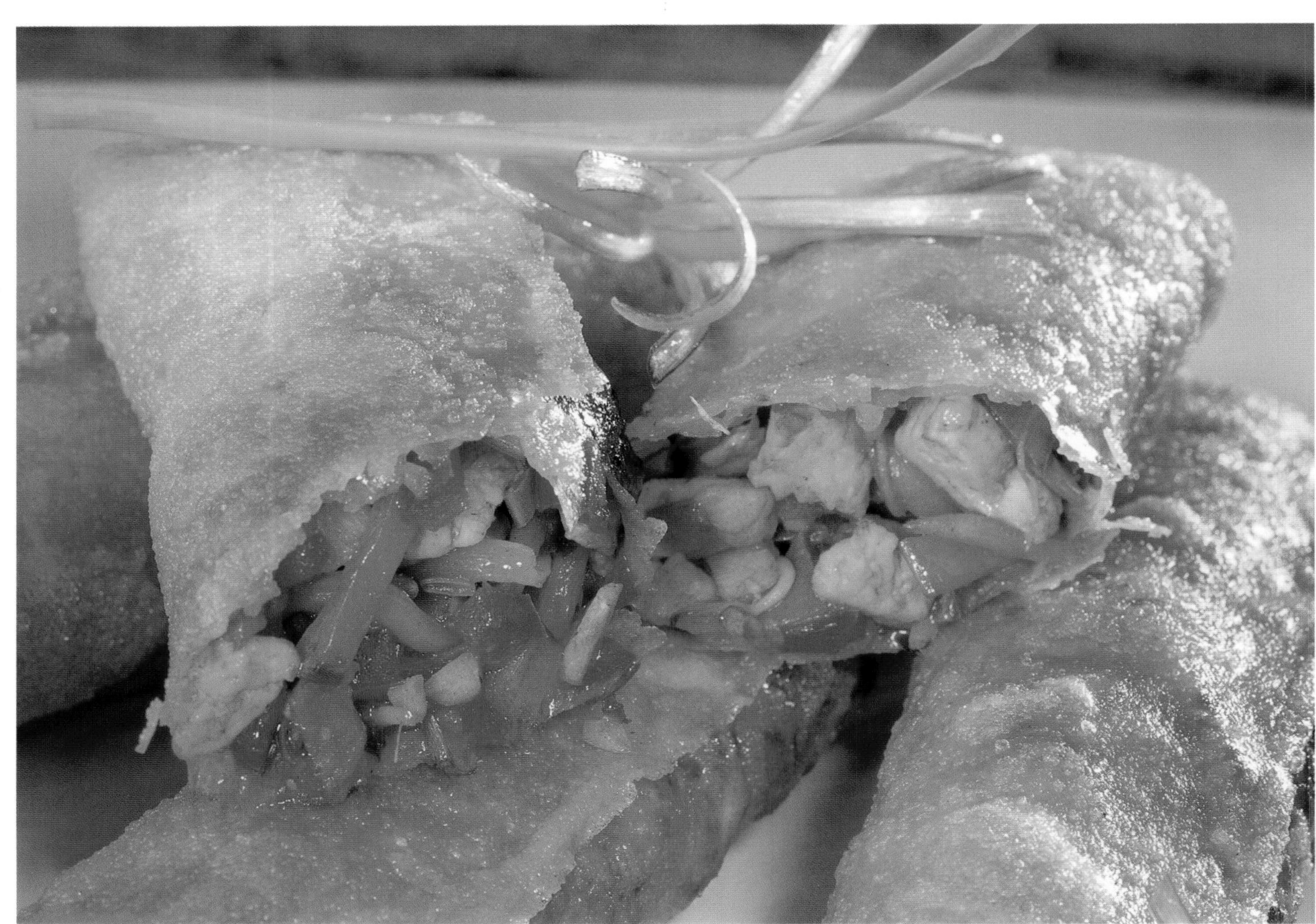

Vin de riz

C'est le célèbre shaoxing ou vin jaune chinois obtenu après distillation légère de riz fermenté, d'eau et de sel à 20°C environ. Son goût assez particulier, riche et moelleux, rappelle le vin de Xeres qui peut très bien le remplacer.

Sauce de soja

C'est l'ingrédient principal de la cuisine chinoise. Elle est obtenue à partir de haricots de soja fermentés, de farine, de levure et d'eau, mélange qu'on laisse fermenter et vieillir quelques mois. Le liquide qui est finalement distillé donne la sauce de soja.
Il en existe deux sortes : clair au goût très savoureux, plus salé et préférable pour la cuisine ; foncée, la sauce de soja a vieilli plus longtemps, elle est plus épaisse et de goût plus fort. C'est celle qu'on pose sur la table, pour accompagner le plat servi. La sauce de soja japonaise a un goût plus arrondi, plus doux. Le tamari, dérivé du miso, a l'aspect de la sauce de soja, avec un goût plus fin.

Tamarin

Fruit au goût acidulé, très utilisé pour agrémenter la cuisine thaïe. On l'emploie pour relever les sauces et les salades. En Chine, on le fait confire, pour en faire une pâte qui aromatise les potages aigre-doux. On peut se procurer cette pâte dans les épiceries asiatiques.

Tofu

Connu en Chine sous le nom de *doufu*, c'est un ingrédient important des cuisines extrême-orientales, très nourrissant et riche en protéines. De texture très particulière mais de goût à peu près neutre, ce « fromage de soja » est réalisé avec des haricots de soja trempés, écrasés, mélangés, puis bouillis rapidement pour former une masse solide. On le vend sous différentes formes, préparé grossièrement ou velouté. C'est plutôt la première qu'on utilise dans les plats sautés au wok, tandis que la seconde est ajoutée aux potages.
Le tofu est généralement vendu enveloppé dans une feuille de papier. Une fois déballé, on le conserve au réfrigérateur pendant quatre ou cinq jours en changeant l'eau quotidiennement. Pour l'utiliser, pressez-le entre deux feuilles de papier absorbant et coupez-le en copeaux ou en cubes. Il ne faut pas trop le retourner dans le wok, pour éviter qu'il se désagrège.

Équipement et techniques

Un certain nombre d'ustensiles sont très utiles pour cuisiner au wok. La plupart peuvent être achetés très bon marché dans les magasins orientaux, ou dans les grands magasins où ils sont généralement un peu plus coûteux.

L'équipement

Wok

Le plus important est évidemment le wok lui-même. Plus utilisable qu'une poêle à frire en raison de sa profondeur, le wok permet de remuer les aliments sans qu'ils tombent à côté. Autre avantage : sa forme permet à la chaleur de se répandre uniformément et donc de cuisiner beaucoup plus vite. Il faut aussi beaucoup moins d'huile de friture que dans une bassine – bien que pour frire au wok, il soit nécéssaire de prendre davantage de précautions pour ne pas se brûler.

Il existe plusieurs formes de wok : le cantonais est équipé de deux poignées sur les côtés. Plus facile à déplacer une fois rempli de liquide, il est préférable pour cuisiner à la vapeur et à la friture. Le wok à manche est plus pratique pour faire sauter et saisir les aliments, car il permet de manœuvrer la poêle d'une main et de remuer de l'autre.

Le fond peut être plus ou moins arrondi ou légèrement aplati. Les fonds ronds ne sont vraiment utilisables que sur le gaz. Aplati, le wok pourra être employé sur la plaque électrique comme sur le gaz, mais il est plutôt destiné à frire qu'à sauter ou poêler.

Au moment de l'achat, choisissez un wok plutôt grand. Il est plus facile de cuire une petite portion dans un grand wok qu'une grande quantité dans un petit wok. Préférez-le épais et lourd, en acier à forte teneur en carbone, plutôt qu'en aluminium ou en inox, trop légers et dans lesquels la nourriture a tendance à attacher. Si vous désirez un modèle en métal antiadhésif, renseignez-vous pour en connaître la composition. Il faut pouvoir atteindre une température très élevée, condition essentielle de ce type de cuisine. Même problème avec le wok électrique : il n'atteint généralement pas une température suffisante, il manque souvent de profondeur et il n'est pas aussi manœuvrable que le wok à manche.

Si vous achetez un modèle en acier, il faudra tout d'abord le traiter de la façon suivante : lavez-le d'abord soigneusement avec un produit abrasif pour éliminer l'huile de machine qui le couvre et l'empêcher de rouiller. Essuyez-le à fond et placez-le alors sur le feu, à température moyenne. Ajoutez un peu d'huile de cuisine et frottez toute la surface de cuisson avec un tampon de papier absorbant. Baissez le feu et chauffez doucement pendant 10 à 15 minutes, en essuyant le wok avec du papier propre ; le papier noircit. Continuer jusqu'à ce que le papier soit propre. À l'usage, le métal va noircir. Mais il ne faut plus nettoyer avec un produit abrasif, ni même au savon. Contentez-vous de laver le wok à l'eau très chaude en frottant avec une brosse ou une éponge non abrasive. Essuyez-le avec du papier absorbant pour enlever toute trace d'humidité. Graissez avec quelques gouttes d'huile de cuisine pour éviter la rouille. Si toutefois la rouille apparaît, recommencez le nettoyage au produit abrasif et le processus d'huilage du début.

Accessoires

Pour stabiliser le wok sur l'appareil de cuisson, il existe dans les boutiques chinoises des accessoires à poser sur la cuisinière, qui peuvent avoir la forme d'un cercle solide percé de trous de ventilation ou d'un cadre de fil de fer. Avec les appareils à gaz, c'est ce dernier qu'il faut utiliser, l'autre ne permettant pas un apport d'air suffisant.

Vous aurez besoin d'un couvercle. Il en existe de très bon marché, en aluminium, avec une forme bombée spécifique à la cuisine au wok. Mais n'importe quel couvercle bombé fera l'affaire à condition de s'adapter à votre wok. On peut aussi couvrir avec une feuille de papier aluminium.

Indispensable, la longue spatule à bout arrondi, spécialement conçue pour ce type de cuisine, vous rendra le travail plus aisé. Une cuillère à long manche peut également faire l'affaire.

Pour cuisiner à la vapeur, on utilisera le support métallique ou en bois destiné à surélever le panier au-dessus de l'eau ainsi que des paniers de bambou superposables, à la fois efficaces et élégants. On remplit les paniers de façon à placer la nourriture qui demande la cuisson la plus longue dans celui du bas et les aliments délicats dans le panier du dessus. Posez le tout sur le support. Remplissez le wok d'eau et installez-le sur le stabilisateur, placé sur la source de chaleur. Couvrez avec le couvercle et laissez cuire le temps indiqué.

La cuisine chinoise est inconcevable sans le couperet destiné à toutes sortes de travaux de découpage. Le couperet chinois ressemble au hachoir, mais sa lame est plus fine et beaucoup plus aiguisée. Il en existe plusieurs types, du plus étroit, destiné aux produits délicats – légumes, champignons – , aux plus larges et plus lourds, pour hacher les aliments résistants.

Le cuiseur électrique est utile car il permet de libérer l'espace de cuisson ; il cuit le riz à la perfection et le conserve au chaud pendant plusieurs heures. Mais, c'est un accessoire coûteux qui ne se justifie que si vous faites beaucoup de cuisine orientale.

Les baguettes ne servent pas seulement à manger mais aussi à mélanger, à fouetter et à servir. On les trouve en bois et en plastique dans toutes les boutiques chinoises et dans les rayons de produits orientaux des supermarchés. Les baguettes chinoises sont longues et arrondies au bout tandis que les baguettes japonaises sont généralement plus courtes et plus pointues.

Pour s'en servir, il faut placer l'une des baguettes dans le creux du pouce, reposant sur l'annulaire replié et maintenu par le bas du pouce et le bout du majeur. Cette baguette doit rester immobile. Prendre l'autre baguette entre le haut du pouce et de l'index, reposant sur le bout du majeur, comme on tient un crayon ; c'est la baguette mobile. Maintenues environ à mi-hauteur, les baguettes se touchent à la pointe pour prendre et pousser la nourriture.

Les techniques

Au wok, la préparation des produits est très importante, du fait que la cuisson qui est très rapide ; il est donc nécessaire d'avoir sous la main tous les éléments nettoyés et découpés en petits morceaux égaux pour qu'ils cuisent au même rythme. Cette cuisson rapide garde aux aliments à la fois leur valeur nutritive et leur aspect.

En composant votre menu, veillez à choisir des plats de différents types de cuisson – vapeur, friture, etc. – dont une préparation sautée.

Techniques de coupe

Il est toujours préférable de poser l'aliment sur une planche où on le maintient fermement pour le tronçonner. La viande est coupée en travers du grain pour trancher les fibres, ce qui la rend plus tendre à la cuisson. Avec le couperet chinois, utilisez l'index et le pouce de la main pour le guider horizontalement et tenez l'aliment de l'autre main, en plaçant vos doigts en dessous pour ne pas vous couper.

Émincer : c'est couper la viande, les légumes, les fruits, en tranches ou en lamelles plus ou moins fines, très régulières.

Trancher : c'est une technique très simple qui consiste à couper en morceaux. Pour trancher un morceau de viande avec os, on utilisera le hachoir ou le couperet, d'un mouvement net et décidé, à travers l'os, en appuyant avec le plat de l'autre main sur la tranche épaisse de l'ustensile. On découpera une volaille cuite en sectionnant les membres aux jointures, à l'aide de ciseaux spéciaux, d'un hachoir ou d'un bon couteau à large lame.

Émincer en diagonale : cette technique donne aux aliments un aspect particulier et expose une surface plus large à la chaleur. Il s'agit simplement de changer l'angle de coupe. Pour les grands légumes, coupez d'abord le bout en diagonale, placez le légume sur la tranche et coupez-le en deux dans la longueur, puis émincez chaque moitié en plaçant le couteau en biais.

Escaloper : cette technique permet de couper en tranches allongées une pièce de viande ou un légume, tout en conservant l'aspect entier de l'aliment. Il faut alors tenir le couteau ou le couperet parallèlement à la planche à découper, placer la main libre sur l'aliment et trancher à travers à partir du côté, en veillant à couper droit.

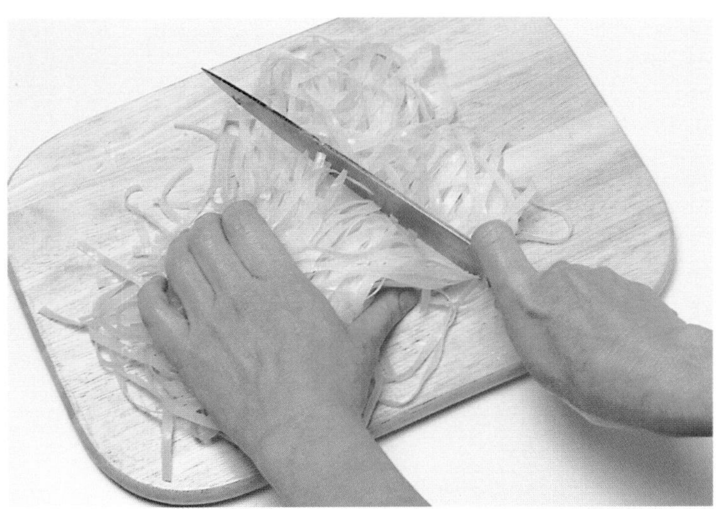

Tailler en dés : cette une méthode de découpe qui permet d'obtenir de petits cubes ou dés. On coupe d'abord en longueur, puis en cubes dans l'autre sens. S'il s'agit d'un légume épais comme la pomme de terre, il faudra la couper d'abord en grosses tranches, puis en bâtonnets, et en dés.

Hacher : commencez par émincer l'aliment, puis utilisez le tranchoir ou le couperet pour couper très rapidement en très petits morceaux. Les parcelles s'éparpillent sur la surface de la planche, reconstituez la pile et continuer de hacher jusqu'à obtenir la finesse désirée. On hache ainsi les herbes, les oignons, etc. Pour la viande crue, il vaut mieux utiliser un hachoir électrique ou un robot de cuisine en surveillant qu'ils ne hachent pas trop fin.

Taillader : c'est couper peu profond. On taillade la peau d'un magret de canard pour permettre à la chaleur de pénétrer plus facilement. Servez-vous d'un couperet ou d'un couteau bien tranchant. Pratiquer des entailles régulières sur la surface de l'aliment, en veillant à ne pas couper trop profond. On peut aussi quadriller en tailladant d'abord dans un sens, puis dans l'autre, ce qui permet d'obtenir un résultat très esthétique.

Couper en lanières, bâtonnets, allumettes ou julienne : c'est d'abord émincer le légume, la viande ou le poisson dans un sens puis, dans l'autre, en donnant des formes allongées plus ou moins fines. Pour la viande et le poisson, on les coupera plus aisément après les avoir placés dans le congélateur pendant une trentaine de minutes.

Autres techniques utiles

Mariner : couramment dans la cuisine orientale, pour donner du goût à la viande, au poisson ou aux légumes, on fait tremper un aliment dans un liquide parfumé et contenant des condiments (sauce de soja, vin de riz, ail, gingembre et épices de toutes sortes...). On fait mariner au moins 30 minutes, souvent une nuit entière. Généralement, on sort l'aliment de la marinade avant de le cuire.

Épaissir ou réduire : ce sont deux techniques qui vont donner une consistance plus concentrée à la préparation. On fait épaissir en ajoutant, en fin de cuisson, de la Maïzena délayée dans un peu d'eau froide dans le plat très chaud, mais non bouillant. On réduit un liquide en laissant bouillir fortement à découvert pour qu'il s'évapore en grande partie. La sauce concentrée est alors plus épaisse et plus savoureuse. Lier, c'est épaissir un liquide en lui ajoutant de la crème ou un jaune d'œuf.

Enrober ou paner : technique souvent employée dans la cuisine au wok pour protéger des effets d'une cuisson trop prolongée les aliments délicats, comme le blanc de poulet en les recouvrant d'un mélange de Maïzena et de blanc d'œuf, parfois salé. On laisse reposer au réfrigérateur pendant 20 à 30 minutes avant de cuire.

Glacer : c'est enrober la surface d'une préparation d'une couche brillante et lisse avec du sucre, de la crème, une sauce.

Effeuiller : défaire en lamelles la chair cuite et refroidie d'un poisson.

Techniques de cuisson

Blanchir : c'est jeter un aliment quelques minutes dans l'eau bouillante avant de le préparer, mais en cuisine au wok, c'est aussi parfois mettre dans de l'huile très chaude pendant quelques minutes, ce qui accélère le processus de cuisson ultérieur et permet aux autres éléments ajoutés de ne pas cuire trop longtemps. Le poulet est souvent blanchi à l'huile après avoir été enrobé, les viandes blanchies à l'eau bouillante pour éliminer l'excès de graisse, les légumes blanchis à l'eau bouillante puis rafraîchis sous l'eau froide, séchés et sautés ensuite très rapidement – il ne s'agit plus alors que de les réchauffer dans le wok.

Braiser : on braise surtout les viandes un peu trop coriaces qui ont besoin d'une cuisson plus longue, mais très douce pour rester moelleuse. Il faut faire dorer les aliments à braiser dans un corps gras, puis les cuire à couvert dans un liquide réduit et parfumé, sur feu doux, pendant un temps assez long.

Frire : C'est une méthode de cuisson très importante en cuisine extrême-orientale. Le wok est très utile, car il permet de n'utiliser qu'un minimum de corps gras. Il suffit de prendre quelques précautions : assurez-vous avant tout de sa stabilité, en utilisant soit un wok à fond plat, soit un cadre de stabilisation. Ajoutez l'huile lentement, le récipient ne doit pas être plus qu'à demi-plein. Faites chauffer doucement pour amener à la température requise. Ne laissez jamais le bain de friture sans surveillance sur le réchaud.
Pour vérifier que la température est atteinte, on peut utiliser un thermomètre spécial ou procéder comme suit : faites un test en jetant dans l'huile de cuisson un cube de mie de pain et vérifiez le temps nécessaire pour qu'il devienne doré et croustillant : au bout de 30 secondes, la température est parfaite. Après ce temps, l'huile est trop chaude, vous allez brûler votre préparation sans la cuire. Moins rapidement, l'huile n'est pas suffisamment chaude, la préparation restera molle, claire et trop grasse. Ne mettez pas trop d'aliments à la fois dans la friture pour ne pas refroidir le bain d'huile. Attendez qu'il ait repris la bonne température entre deux portions.
Il faut aussi veiller à ce que les aliments à frire soient bien secs.
Si vous les sortez de la marinade, essuyez-les à fond dans du papier absorbant avant de les mettre à frire. Si les aliments sont entourés d'une pâte à frire, laissez égoutter avant de déposer dans l'huile. Pour les grosses pièces, tenez-les au-dessus du wok et arrosez-les d'huile chaude avec la louche avant de les déposer dans la friture.

L'huile peut être réutilisée : laissez refroidir complètement, puis versez dans un récipient propre et bouchez. Inscrivez le type d'huile et la date sur le récipient, réutilisez seulement pour le même type de nourriture. Ne pas réchauffer plus de trois fois.

Pocher : méthode de cuisson de la viande, du poisson ou des œufs dans un liquide maintenu frémissant. Au wok, on arrête la cuisson avant qu'elle soit complètement terminée, et on plongera l'aliment dans une soupe ou une sauce où il achèvera de cuire. On peut éteindre la source de chaleur et laisser l'aliment finir de cuire dans le liquide couvert.

Rissoler ou poêler : c'est une cuisson où entre plus de matière grasse que lorsqu'on fait sauter, mais moins que pour faire frire. On fait d'abord rissoler d'un côté, puis de l'autre. On peut déposer l'aliment sur du papier absorbant pour éliminer la graisse. La sauce est réalisée dans la même poêle, préférable ici au wok.

Saisir : c'est mettre un aliment – surtout la viande – dans une matière grasse très chaude afin que la surface soit immédiatement enrobée d'une croûte qui retient le jus et les sucs.

Étuver : comme dans la cuisson pochée, le liquide ou la matière grasse dans lequel l'aliment est plongé est maintenu à température très basse. Mais il y en a beaucoup moins et la cuisson est lente et prolongée.

Cuire à la vapeur : ce très ancien procédé a récemment connu un regain d'intérêt, car c'est une méthode de cuisson sans graisse, donc particulièrement diététique. La cuisson à la vapeur, qui demande une chaleur douce et humide, s'adapte tout spécialement à la préparation du poisson et des légumes.
Le wok peut être utilisé de deux façons. La première a déjà été évoquée à propos de la cuisson en paniers de bambou. La seconde nécessite de faire bouillir environ 5 cm d'eau dans le fond d'un wok plat dans lequel on a placé un support métallique. L'aliment à cuire est placé sur une assiette et celle-ci est posée sur le support. Couvrir alors le wok avec son couvercle. Si l'aliment est épais, il faudra sans doute rajouter de l'eau bouillante.

Sauter : il s'agit de la méthode la plus couramment utilisée pour cuisiner au wok, aussi bien en Extrême-Orient qu'en Inde. Faire sauter au wok exige une bonne source de chaleur et une préparation préalable des aliments à cuire. Ce mode de cuisson est très rapide, ne nécessite que peu de matière grasse et conserve aux aliments leur bel aspect coloré, leur saveur et leurs éléments nutritifs. Les aliments sautés au wok ne doivent être ni gras ni trop cuits.

Étapes (après avoir réuni tous les ingrédients nécessaires à portée de la main) :
Mettez le wok à chauffer. Il doit être très chaud avant de recevoir la matière grasse, pour éviter que les aliments attachent au fond et pour distribuer la chaleur plus régulièrement. Ajoutez l'huile et répandez-la sur toute la surface avec la cuillère à long manche ou la spatule. Laissez chauffer, presque au point de la faire fumer, avant d'ajouter les aliments. Si vos souhaiter, au début, parfumer l'huile, avec de l'ail, du piment, du gingembre ou du carry, il ne faut pas chauffer trop fort, car les aromates brûlent vite et prennent un goût amer. Mettez-les dans l'huile chaude, remuez rapidement. Dans certaines recettes, il est conseillé de les retirer ensuite et de les jeter.
Ajoutez alors les aliments en suivant les indications de la recette. Remuez vivement en secouant le wok ou en utilisant la cuillère ou la spatule. S'il s'agit de viande, laissez colorer quelques secondes avant de remuer. Pour les autres aliments, remuez sans arrêt, en les ramenant des bords vers le centre, et vice versa. Méfiez-vous des éclaboussures d'huile sur les mains ou le visage et protégez vos vêtements.
Quand la cuisson est terminée, certaines préparations doivent être épaissies à la farine de maïs délayée dans de l'eau. Pour éviter d'obtenir une sauce grumeleuse, baissez le feu ; le liquide doit être maintenu en dessous du point d'ébullition avant d'ajouter la liaison. Cuire alors pendant 2 ou 3 minutes en tournant, jusqu'à ce que la sauce soit lisse et enrobe les aliments.

Cuisson double : c'est un procédé qui demande deux cuissons différentes, par exemple pochée et sautée. Certains morceaux de porc peuvent être d'abord pochés pour les dégraisser, puis épongés et mis à sauter ou à braiser avec des aromates.

Garnitures

Le cuisinier oriental est très attentif à l'apparence de ses mets et découpe les aliments avec soin. Les plats sont souvent garnis de façon très décorative, avec par exemple, de simples rondelles d'oignon ou un hachis de légumes colorés, mais aussi des légumes découpés : carottes ou tomates , radis en forme de fleurs. La famille royale thaïlandaise emploie pour certaines occasions un sculpteur de fruits, poste héréditaire officiel. On peut essayer d'imiter cette tradition dans la cuisine en utilisant des fruits et légumes de saison et un bon couteau aiguisé.

Fleur de piment : choisissez un piment bien formé, rouge ou vert de 5 à 7,5 cm de longueur, à la queue intacte. Tenez le piment par la queue et, à l'aide d'un petit couteau bien aiguisé, découpez plusieurs languettes de même taille, de la pointe vers la queue, sans les détacher et en laissant les graines. Écartez doucement les « pétales » et jetez la fleur dans de l'eau glacée. Les languettes vont se recourber en fleur vers l'arrière.

Fleur d'oignon : coupez le haut de la queue verte d'un petit oignon blanc en laissant 5 à 7 cm de longueur et en conservant la base. En tenant celle-ci, découpez le vert finement dans la longueur. Jetez dans de l'eau glacée jusqu'à ce que les languettes se recourbent.

Potage aux wonton

1

2

4

INGRÉDIENTS — Pour 6 personnes

Pour le bouillon de volaille

900 g de poulet (ailes, pilon, carcasse)
2 gros oignons épluchés et coupés en quartiers
2 carottes épluchées et hachées grossièrement
2 branches de céleri lavées et coupées finement
1 poireau lavé et coupé finement
2 gousses d'ail non épluchées légèrement écrasées
1 cuil. à soupe de poivre en grains
2 feuilles de laurier
les tiges d'un bouquet de persil plat
2 à 3 rondelles de gingembre frais épluché (facultatif)
3,5 l d'eau froide

Pour le potage

18 wonton (raviolis chinois)
1 poignée de feuilles de chou chinois ou d'épinards en lanières
1 petite carotte épluchée et coupée en fines lanières
2 à 4 petits oignons blancs épluchés et coupés finement en diagonale
sauce de soja
feuilles du bouquet de persil plat pour le décor

1 Disposez le poulet haché en 6 à 8 morceaux dans une grande casserole d'eau, avec les ingrédients du bouillon de volaille. Amenez à ébullition et retirez plusieurs fois la mousse qui se forme à la surface. Baissez le feu et laissez frémir doucement 2 à 3 heures, en retirant la mousse de temps à autre.

2 Passez le bouillon dans une fine passoire, éventuellement tapissée d'une mousseline, placée sur un grand récipient. Laissez refroidir, puis placez au réfrigérateur 5 à 6 heures ou jusqu'au lendemain. Dégraissez le bouillon, d'abord avec une écumoire puis avec une feuille de papier absorbant passée légèrement à la surface du liquide.

3 Faites bouillir une casserole d'eau. Ajoutez les wonton et réchauffez juste au-dessous du point d'ébullition. Laissez frémir 2 à 3 minutes en remuant souvent. Quand les wonton sont cuits, rincez à l'eau froide, égouttez et réservez.

4 Versez 300 ml de bouillon par personne dans un grand wok. Amenez rapidement à ébullition, retirez la mousse de la surface si nécessaire. Laissez cuire le liquide 6 à 7 minutes à gros bouillon pour qu'il réduise légèrement. Baissez le feu. Quand le bouillon frémit, ajoutez les wonton et les légumes crus. Assaisonnez de quelques gouttes de sauce de soja, faites cuire doucement 3 minutes. Ajoutez les feuilles de persil et servez sans attendre.

Potage thaï pimenté aux crevettes

INGRÉDIENTS — Pour 6 personnes

700 g de crevettes crues
2 cuil. à soupe d'huile végétale
3 à 4 tiges de citronnelle débarrassées de leur pelure supérieure et coupées en tronçons (dans les épiceries asiatiques)
1 petit morceau (2,5 cm environ) de gingembre frais épluché et haché finement
2 à 3 gousses d'ail épluchées et écrasées
les tiges d'un petit bouquet de coriandre fraîche ciselé finement
½ cuil. à café de poivre
1,8 l d'eau
1 à 2 petits piments rouges épépinés, coupés finement
1 à 2 petits piments verts épépinés, coupés finement
6 feuilles de citronnier kaffir en lanières
4 petits oignons blancs épluchés et coupés finement en diagonale
1 à 2 cuil. à soupe de sauce de poisson
1 à 2 cuil. à soupe de jus de citron vert
les feuilles du bouquet de coriandre fraîche pour le décor

1 Décortiquez les crevettes en laissant la queue. Réservez les carapaces et les têtes. Avec un couteau pointu, ôtez la veine noire visible au dos. Réservez. Lavez et séchez les têtes et les carapaces.

2 Chauffez le wok, ajoutez l'huile. Quand elle est bien chaude, ajoutez les épluchures de crevettes, la citronnelle, le gingembre, l'ail, les tiges de coriandre et le poivre. Remuez et faites sauter 2 à 3 minutes, jusqu'à ce que les carapaces deviennent roses et que tout ait pris couleur.

3 Versez lentement l'eau dans le wok et ramenez l'ébullition. Retirez soigneusement la mousse qui se forme à la surface. Faites bouillir doucement une dizaine de minutes pour réduire légèrement le liquide. Versez dans une passoire fine et remettez le bouillon dans le wok.

4 Ramenez l'ébullition, ajoutez les piments, les feuilles de citronnier kaffir, les petits oignons blancs et les crevettes. Baissez le feu, laissez cuire 3 minutes environ. Les crevettes doivent devenir roses. Assaisonnez avec la sauce de poisson et le jus de citron vert. Versez dans 6 petits bols à soupe en répartissant les crevettes, décorez avec les feuilles de coriandre.

Un peu d'info

La sauce de poisson thaï, réalisée à partir d'anchois fermentés, a un goût aigrelet et salé.

Potage des Caraïbes au poulet et à la noix de coco

INGRÉDIENTS Pour 4 personnes

6 à 8 petits oignons blancs
2 gousses d'ail
1 piment rouge
175 g de poulet cuit
2 cuil. à soupe d'huile végétale
1 cuil. à café de curcuma en poudre
300 ml de lait de coco
1 l de bouillon de volaille
50 g de vermicelle ou autres pâtes à potage
½ citron en rondelles
sel et poivre
1 à 2 cuil. à café de coriandre fraîchement ciselée
feuilles de coriandre fraîche pour le décor

1 Épluchez les petits oignons blancs, coupez-les finement. Coupez les extrémités du piment, ouvrez-le sur le côté pour l'épépiner et enlever les membranes intérieures, hachez-le finement et réservez.

2 Désossez le poulet, enlevez la peau, émiettez-le avec deux fourchettes ou coupez-le en dés. Réservez.

3 Chauffez le wok, ajoutez l'huile. Quand elle est bien chaude, versez les petits oignons blancs, l'ail et le piment. Remuez vivement 2 minutes jusqu'à ce que les oignons soient tendres. Ajoutez le curcuma, remuez 1 minute sur le feu.

4 Mélangez intimement le bouillon de volaille et le lait de coco. Versez dans le wok. Ajoutez les pâtes ainsi que les tranches de citron. Amenez à ébullition.

5 Laissez cuire à couvert 10 à 12 minutes jusqu'à ce que les pâtes soient cuites. Remuez de temps à autre.

6 Ôtez les tranches de citron, ajoutez le poulet. Salez et poivrez. Faites chauffer quelques minutes pour que le poulet soit bien chaud.

7 En fin de cuisson, ajoutez la coriandre ciselée. Versez dans des bols individuels chauffés. Garnissez de feuilles de coriandre et servez immédiatement.

Le bon truc

En hachant le piment, prenez garde à ne pas toucher vos yeux ni aucune autre zone sensible. Portez des gants de cuisine ou lavez-vous les mains au savon après l'épluchage.

Potage au crabe et au maïs doux

INGRÉDIENTS Pour 4 personnes

- 450 g de maïs doux frais (2 à 3 épis)
- 1,3 l de bouillon de volaille
- 2 à 3 petits oignons blancs épluchés et coupés finement
- 1 cm de gingembre frais épluché et haché finement
- 1 cuil. à soupe de vin de riz, de xérès ou du vermouth blanc (Noilly Prat)
- 2 à 3 cuil. à soupe de sauce de soja
- 1 cuil. à café de sucre roux
- sel et poivre
- 2 cuil. à café de Maïzena
- 225 g de chair de crabe fraîche ou en boîte
- 1 blanc d'œuf
- 1 cuil. à café d'huile de sésame
- 1 à 2 cuil. à soupe de feuilles de coriandre ciselées

1 Lavez les épis de maïs, séchez-les. Avec un couteau de cuisine bien aiguisé, coupez les grains au ras de l'épi, en le tenant debout sur la planche à découper. Puis grattez pour récupérer la chair restée sur les épis. Mettez les grains et la chair dans un grand wok.

2 Ajoutez le bouillon. Amenez à ébullition en tournant et en pressant les grains sur le bord du wok avec le dos d'une cuillère pour faire sortir l'amidon et épaissir la soupe. Faites cuire à petit bouillon 15 minutes en tournant de temps à autre.

3 Ajoutez les petits oignons blancs, le gingembre, le vin de riz ou de xérès ou le vermouth, la sauce de soja et le sucre. Salez et poivrez. Laissez cuire 5 minutes en continuant de tourner.

4 Délayez la Maïzena dans 1 cuillerée à soupe d'eau froide. Quand elle est lisse, versez-la dans le potage. Ramenez l'ébullition et donnez quelques bouillons en remuant constamment jusqu'à épaississement.

5 Ajoutez la chair de crabe, remuez bien. Battez le blanc d'œuf et l'huile de sésame, versez en filet dans le potage sans cesser de tourner. Décorez avec les feuilles de coriandre et servez sans attendre.

Une question de goût

Pour réaliser un bouillon de volaille maison, suivez les instructions du potage aux wonton, page 16.

Potage épicé aux champignons

1

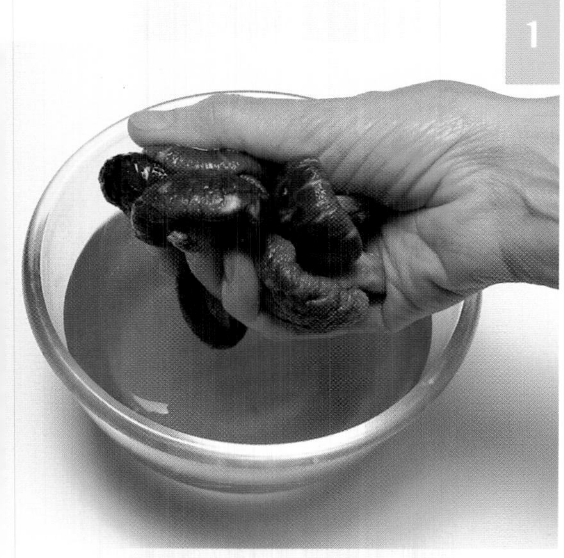

2

3

INGRÉDIENTS — Pour 4 à 6 personnes

25 g de gros champignons parfumés secs
2 cuil. à soupe d'huile d'arachide
1 carotte épluchée et coupée en fines lanières
125 g de champignons de Paris, coupés finement
2 gousses d'ail épluchées et hachées finement
½ cuil. à café de piment écrasé
1 l de bouillon de volaille (voir p. 16)
75 g de poulet désossé ou de porc cuit
125 g de pâte aux haricots noirs (facultatif, se trouve dans les épiceries asiatiques)
2 à 3 petits oignons blancs épluchés et coupés finement en diagonale
1 à 2 cuil. à café de sucre
3 cuil. à soupe de vinaigre de cidre
2 cuil. à soupe de sauce de soja
sel et poivre
1 cuil. à soupe de Maïzena
1 gros œuf
2 cuil. à café d'huile de sésame
2 cuil. à café de feuilles de coriandre fraîche ciselées

1 Faites tremper 20 minutes les champignons parfumés dans un petit bol d'eau chaude. Pressez-les doucement entre vos mains pour en extraire l'eau. Pendant le trempage, le sable qu'ils pouvaient contenir tombe. Enlevez les pieds et hachez finement les chapeaux. Réservez.

2 Faites chauffer un grand wok, ajoutez l'huile et, quand elle est bien chaude, ajoutez les carottes. Faites sauter 2 à 3 minutes en remuant, jusqu'à ce que la carotte soit légèrement tendre. Ajoutez les champignons de Paris et faites sauter encore 2 à 3 minutes en remuant. Ajoutez l'ail et le piment.

3 Versez le bouillon de volaille, amenez à ébullition, retirez la mousse qui se forme à la surface. Ajoutez le poulet cuit ou le porc en dés, éventuellement la pâte aux haricots noirs coupée en tranches, les petits oignons blancs, le sucre, le vinaigre, la sauce de soja et les champignons réservés. Faites cuire 5 minutes à petit bouillon, en remuant de temps à autre. Salez et poivrez.

4 Délayez la Maïzena dans 1 cuillerée d'eau froide, versez-la dans le potage et remuez. Ramenez l'ébullition, baissez le feu et laissez cuire quelques minutes à feu moyen pour épaissir.

5 Battez l'œuf et l'huile de sésame. Versez en filet dans le potage, sans cesser de remuer. Décorez avec la coriandre fraîche et servez immédiatement.

Potage au chou chinois et aux champignons

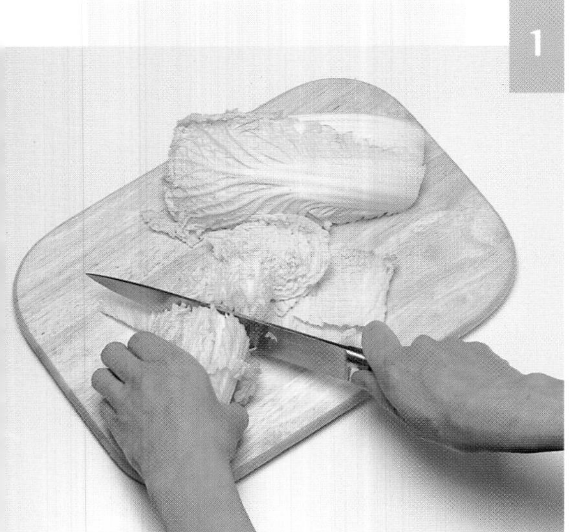

1

3

4

INGRÉDIENTS Pour 4 à 6 personnes

450 g de feuilles de chou chinois
25 g de gros champignons parfumés secs
1 cuil. à soupe d'huile végétale
75 g de lard de poitrine pas trop maigre en dés
1 petit morceau (2,5 cm environ) de gingembre frais épluché et coupé finement
175 g de champignon de Paris, coupés finement
1 l de bouillon de volaille
4 à 6 petits oignons blancs épluchés et coupés en tronçons
2 cuil. à soupe de vin de riz, de xérès ou de vermouth
sel et poivre
huile de sésame

1 Coupez le bout des feuilles du chou chinois. Coupez-le en deux dans la longueur. Enlevez le pied triangulaire et coupez en tronçons de 2,5 cm environ. Réservez.

2 Faites tremper 20 minutes les champignons parfumés dans un petit bol d'eau chaude. Pressez-les doucement entre vos mains pour en extraire l'eau. Enlevez les pieds et hachez finement les chapeaux. Réservez. Passez le liquide dans une passoire ou dans un filtre à café en papier. Réservez aussi ce liquide.

3 Faites chauffer un wok, ajoutez l'huile et, quand elle est bien chaude, faites revenir les dés de lard. Remuez vivement 3 à 4 minutes jusqu'à ce qu'ils soient dorés. Ajoutez le gingembre, les champignons de Paris coupés finement, faites sauter 2 à 3 minutes.

4 Ajoutez le bouillon et amenez à ébullition, retirez plusieurs fois la mousse qui se forme à la surface. Avec une cuillère, enlevez la graisse qui monte en surface. Ajoutez les petits oignons blancs, le vin, le chou, les champignons. Salez et poivrez. Ajoutez le liquide de trempage des champignons parfumés. Baissez le feu au maximum.

5 Laissez cuire doucement, à couvert, 10 minutes environ jusqu'à ce que tous les légumes soient tendres. Ajoutez un peu de liquide si le potage devient trop épais. Versez dans des bols à soupe, arrosez de quelques gouttes d'huile de sésame et servez sans attendre.

Une question de goût

Le chou chinois peut être remplacé par du chou vert.

Potage vietnamien au bœuf et aux nouilles

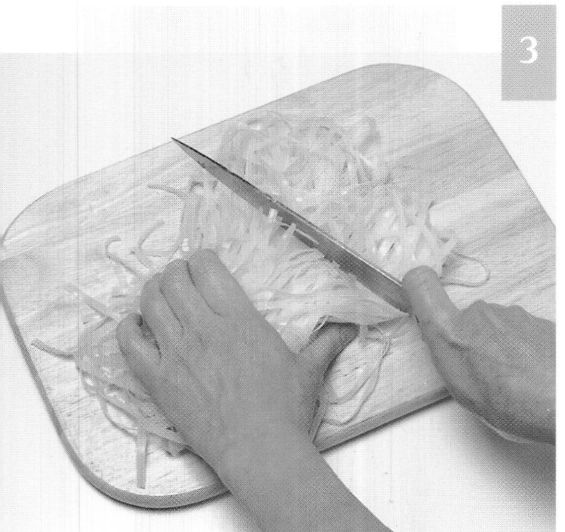

3

4

5

INGRÉDIENTS — Pour 4 à 6 personnes

Pour le bouillon de bœuf

900 g de viande de bœuf avec os (plat de côtes, paleron)
1 gros oignon épluché et coupé en quartiers
2 carottes épluchées et coupées en rondelles
2 branches de céleri lavées et coupées finement
1 poireau lavé et coupé en tronçons
2 gousses d'ail non épluchées légèrement écrasées
3 graines d'anis étoilé entières
1 cuil. à café de grains de poivre

Pour le potage

175 g de nouilles de riz chinoises
4 à 6 petits oignons blancs épluchés et coupés finement en diagonale
1 piment rouge épépiné, coupé finement en diagonale
1 bouquet de coriandre fraîche
1 petit bouquet de menthe fraîche
350 g de filet bœuf coupé très finement
sel et poivre

1 Versez tous les ingrédients du bouillon dans un grand faitout, couvrez avec de l'eau froide. Amenez à ébullition en retirant la mousse qui se forme à la surface. Réduisez la chaleur, laissez cuire doucement à petit bouillon, à demi couvert, 2 à 3 heures, en retirant la mousse de temps à autre.

2 Passez dans un grand récipient. Laissez refroidir. Placez le récipient refroidi au réfrigérateur. Enlevez la graisse qui se forme en surface. Versez ensuite 1,7 l de bouillon dans un grand wok et réservez.

3 Couvrez les nouilles chinoises d'eau chaude. Attendez 3 minutes qu'elles aient ramolli. Égouttez et coupez en morceaux de 10 cm de longueur environ.

4 Sur une assiette, disposez sans les mélanger les petits oignons blancs, le piment, les feuilles de coriandre et de menthe fraîches réservez.

5 Amenez le bouillon à ébullition dans le wok. Ajoutez les nouilles, laissez cuire 2 minutes. Les nouilles doivent avoir une texture tendre. Ajoutez l'émincé de bœuf et cuire encore 1 minute. Salez et poivrez.

6 Versez à la louche dans de petits bols individuels en répartissant les nouilles et le bœuf. Servez immédiatement en présentant à part l'assiette de légumes réservée.

Potage malais, au laksa et aux nouilles

INGRÉDIENTS — Pour 4 à 6 personnes

- 1 poulet fermier
- 1 cuil. à café de poivre en grains
- 1 cuil. à soupe d'huile végétale
- 1 gros oignon épluché et coupé finement
- 2 gousses d'ail épluchées et hachées finement
- 1 petit morceau (2,5 cm environ) de gingembre frais épluché et coupé finement
- 1 cuil. à café de graines de coriandre écrasées
- 2 piments rouges épépinés, coupés finement en diagonale
- 2 cuil. à café de pâte de curry fort
- 400 ml de lait de coco
- 450 g de grosses crevettes crues préparées (sans carapace ni veine noire) ou de langoustines
- ½ tête de chou chinois coupé en fines lanières
- 1 cuil. à café de sucre
- 2 petits oignons blancs épluchés et coupés finement
- 125 g de germes de soja
- 250 g de nouilles de riz trempées (suivre les instructions du paquet)
- feuilles de menthe fraîche pour le décor

1 Mettez le poulet dans une grande casserole avec les grains de poivre. Couvrez d'eau froide. Amenez à ébullition, enlevez plusieurs fois la mousse qui se forme à la surface. Couvrez à demi et laissez cuire à petit bouillon 1 heure environ. Enlevez le poulet, laissez refroidir. Passez le bouillon dans une passoire, mettez au réfrigérateur pour pouvoir dégraisser facilement. Désossez le poulet. Réservez la viande et le bouillon.

2 Faites chauffer un grand wok, ajoutez l'huile et faites revenir les oignons 2 minutes à feu vif, jusqu'à ce qu'ils commencent à prendre couleur. Ajoutez l'ail, le gingembre, la coriandre, les piments, la pâte de curry. Faites bien revenir le tout 2 minutes en remuant.

3 Versez 1 l de bouillon avec précaution, faites chauffer doucement et laissez cuire à petit bouillon 10 minutes jusqu'à ce qu'il ait légèrement réduit.

4 Ajoutez le lait de coco et les crevettes, le chou en lanières, le sucre, les petits oignons blancs et les germes de soja. Cuire 3 minutes, en remuant de temps à autre. Ajoutez le poulet en petits dés. Laissez cuire encore 2 minutes.

5 Égouttez les nouilles. Répartissez-les entre 4 à 6 petits bols individuels. Versez le bouillon, le poulet et les légumes sur les nouilles, répartissez les crevettes. Décorez avec la menthe. Servez sans attendre.

Pop-corn et noix de pécan aux graines de sésame

1

2

5

INGRÉDIENTS	Pour 4 à 6 personnes

Pour le pop-corn
75 ml d'huile végétale
2 à 3 amandes
75 g de maïs à pop-corn
½ cuil. à café d'ail en poudre
1 cuil. à café de poudre de piment (Cayenne)

Pour les noix de pécan
50 g de sucre
½ cuil. à café de cannelle en poudre
½ cuil. à café de poudre cinq-épices
¼ cuil. à café de sel
¼ cuil. à café de poivre de Cayenne
175 g de noix de pécan ou de cerneaux de noix ordinaires
graines de sésame

1 Pour le pop-corn, faites chauffer la moitié de l'huile dans un grand wok à chaleur moyenne. Jetez 2 à 3 amandes dans l'huile et couvrez. Lorsqu'elles commencent à sauter, enlevez-les à l'écumoire et remplacez-les par le pop-corn. Couvrez hermétiquement. Laissez cuire en secouant de temps à autre, jusqu'à ce que les grains de maïs soient tous ouverts.

2 Versez dans un grand bol et ajoutez immédiatement le reste de l'huile dans le wok, ainsi que l'ail et le piment en poudre. Remuez 30 secondes jusqu'à ce que l'huile soit bien parfumée.

3 Remettez le pop-corn dans le wok, remuez 30 secondes pour que tous les grains soient bien enrobés. Servez-les chauds ou tièdes.

4 Pour les noix de pécan, mettez le sucre, la cannelle et les cinq-épices, le sel et le piment de Cayenne dans un grand wok, ajoutez 50 cl d'eau. Amenez rapidement à ébullition, puis laissez cuire le sirop 4 minutes en remuant fréquemment.

5 Éloignez du feu, ajoutez les noix de pécan – ou les cerneaux de noix – jusqu'à ce qu'elles soient bien enrobées. Prenez les noix à l'écumoire et déposez-les sur un marbre ou une feuille de papier sulfurisé légèrement huilée. Saupoudrez de graines de sésame.

6 En vous aidant de deux fourchettes, séparez les noix les unes des autres, saupoudrez de nouveau de graines de sésame et laissez refroidir complètement. Retirez du papier avec précaution.

Le bon truc

Vous pouvez utiliser du pop-corn tout prêt. Conservez-le dans un récipient hermétique.

Toasts aux crevettes

INGRÉDIENTS — Pour 8 à 10 personnes

225 g de crevettes cuites décortiquées (décongelées si surgelées) et bien épongées
1 blanc d'œuf
2 petits oignons blancs épluchés et hachés
1 cm de gingembre frais épluché et haché
1 gousse d'ail épluchée et hachée
1 cuil. à soupe de Maïzena
2 à 3 gouttes de Tabasco
½ cuil. à café de sucre
sel et poivre
8 tranches de pain de mie ferme
4 à 5 cuil. à soupe de graines de sésame
300 ml d'huile végétale
feuilles de coriandre ciselées pour le décor

1 Mettez les crevettes, le blanc d'œuf, les petits oignons blancs, le gingembre, l'ail, la Maïzena, le Tabasco et le sucre dans le robot. Assaisonnez de sel et de poivre.

2 Faites-le tourner jusqu'à ce que le mélange forme une pâte homogène. Grattez les bords du bol une ou deux fois pendant l'opération.

3 Tartinez uniformément le mélange sur les tranches de pain avec un couteau. Saupoudrez généreusement de graines de sésame, en pressant légèrement pour les enfoncer dans la garniture.

4 Coupez la croûte du pain de mie, puis découpez chaque tartine en 8 triangles.

5 Faites chauffer l'huile à 190 °C dans un grand wok jusqu'à ce qu'un petit cube de pain dore en 30 secondes. Faites frire les toasts aux crevettes par petites portions, 30 à 60 secondes, jusqu'à ce qu'ils soient bien dorés.

6 Enlevez les toasts à l'écumoire, égouttez-les sur du papier absorbant. Gardez-les au chaud jusqu'à ce qu'ils soient tous frits. Déposez-les sur une assiette décorée de feuilles de coriandre fraîche. Servez chaud.

Une question de goût

Classiques de la cuisine chinoise, ces toasts sont servis avec d'autres amuse-gueules à l'apéritif ou en entrées.

Gambas aux graines de sésame

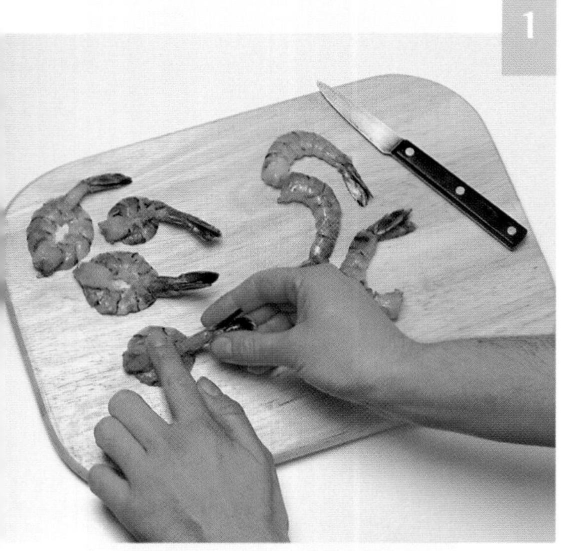
1

3

6

INGRÉDIENTS

Pour 6 à 8 personnes

24 gambas crues
40 g de farine
4 cuil. à soupe de graines de sésame
sel et poivre
1 gros œuf
300 ml d'huile végétale pour la friture

Pour la sauce au soja servie en accompagnement
50 ml de sauce de soja
1 petit oignon blanc épluché, haché finement et ½ cuil. à café de piment séché écrasé
1 cuil. à soupe d'huile de sésame
1 à 2 cuil à café de sucre
tiges de petit oignon blanc pour le décor

1 Séparez les têtes des gambas du corps en tournant légèrement. Décortiquez les corps en laissant le bout des queues pour la présentation. Avec un couteau pointu, enlevez la veine noire visible à l'arrière. Essuyez-les bien.

2 Coupez le long du dos des crevettes mais sans ouvrir le haut ni la queue. Posez-les sur la planche à découper et aplatissez-les légèrement en forme de papillon.

3 Mélangez bien la farine, la moitié des graines de sésame, du sel et du poivre. Mettez ce mélange dans un sac plastique, ajoutez 4 à 5 gambas à la fois. Fermez bien et secouez le sac pour enrober les gambas de farine.

4 Battez l'œuf dans un petit bol avec le reste des graines de sésame, du sel et du poivre.

5 Faites chauffer l'huile dans un grand wok à 190 °C, jusqu'à ce qu'un petit cube de pain dore en 30 secondes. En tenant les gambas par la queue, trempez-les dans l'œuf battu et mettez-les doucement à la friture, par cinq ou six à la fois.

6 Laissez-les frire 1 à 2 minutes jusqu'à ce qu'elles soient dorées, en les tournant une ou deux fois. Enlevez-les à l'écumoire, égouttez-les sur du papier absorbant et réservez au chaud.

7 Pour la sauce servie en accompagnement, mélangez la sauce de soja, les petits oignons blancs, les piments, l'huile et le sucre jusqu'à dissolution de celui-ci. Versez au centre d'une assiette, mettez les crevettes frites autour, décorez de tiges d'un petit oignos blanc. Servez sans attendre.

Le bon truc

Les gambas surgelées sont moins coûteuses à l'achat. On les trouve dans les épiceries asiatiques.

Rouleaux de printemps

1

3

6

INGRÉDIENTS Pour 26 à 30 rouleaux

Pour la farce
15 g de gros champignons parfumés secs
50 g de vermicelles de riz
1 à 2 cuil. à soupe d'huile d'arachide
1 petit oignon épluché et haché finement
3 à 4 gousses d'ail épluchées et hachées finement
1 morceau de gingembre (4 cm) frais épluché et haché
225 g de viande de porc hachée
2 petits oignons blancs épluchés et coupés finement
75 g de germes de soja
4 châtaignes d'eau hachées (dans les épiceries asiatiques)
2 cuil. à soupe de ciboulette fraîchement ciselée
175 g de grosses crevettes cuites, décortiquées et hachées
1 cuil. à café de sauce aux huîtres
1 cuil. à café de sauce de soja
sel et poivre
vert de petit oignon blanc pour le décor

Pour les feuilles
4 à 5 cuil. à soupe de farine
26 à 30 feuilles de pâte de riz
300 ml d'huile végétale pour la friture

1 Faites tremper 20 minutes les champignons dans un petit bol d'eau chaude. Les presser doucement entre les mains pour en extraire l'eau. Enlevez les pieds et hachez finement les chapeaux. Réservez. Faites également tremper les nouilles, en suivant les indications sur le paquet.

2 Faites chauffer un grand wok, ajoutez l'huile et quand elle est bien chaude, ajoutez l'oignon, l'ail, le gingembre et faites revenir 2 minutes.

3 Ajoutez le porc haché, les petits oignons blancs et les champignons coupés finement. Faites revenir en remuant 4 minutes. Ajoutez les germes de soja, les châtaignes d'eau, la ciboulette, les crevettes hachées, les sauces. Assaisonnez. Versez dans un saladier.

4 Égouttez les nouilles à fond, ajoutez-les à la farce et remuez bien. Laissez refroidir.

5 Délayez la farine avec 4 cuillerées à soupe d'eau. Trempez une feuille de riz dans une assiette d'eau chaude 2 secondes pour la ramollir, posez-la sur un torchon pour la sécher. Mettez 2 cuillerées à soupe de farce près du bord de la feuille de riz, repliez le bord, puis les côtés et roulez. Collez avec de la farine. Posez les rouleaux sur la plaque du four, fermeture vers le bas.

6 Faites chauffer l'huile de friture dans le wok à 190 °C. Mettez 3 à 4 rouleaux dans la friture jusqu'à ce qu'ils soient bien dorés, tournez-les. Égouttez sur du papier absorbant. Posez-les sur l'assiette de service chauffée. Décorez avec les verts de petit oignon blanc. Servez chaud.

Petits pains au porc

1

4

5

INGRÉDIENTS

Pour 12 petits pains

Pour les petits pains
175 à 200 g de farine
1 cuil. à soupe de levure
125 ml de lait
2 cuil. à soupe d'huile de tournesol
1 cuil. à soupe de sucre
½ cuil. à café de sel
tiges de petit oignon blanc pour le décor
feuilles de salade pour accompagner

Pour la farce
2 cuil. à soupe d'huile végétale
1 petit poivron rouge épépiné, haché finement
2 gousses d'ail épluchées et hachées finement
225 g de porc cuit haché finement
50 g de sucre roux
50 ml de ketchup
1 à 2 cuil. à café de poivre de Cayenne

1 Mettez 75 g de farine dans un saladier, ajoutez la levure, mélangez. Faites chauffer le lait, le sucre et le sel dans une petite casserole, en mélangeant bien pour faire fondre le sucre. Versez dans la farine et battez au fouet électrique, 30 secondes à petite vitesse, en ayant soin de gratter les bords du saladier. Quand tout est bien intégré, battez 3 minutes à grande vitesse. Puis avec une cuillère en bois, ajoutez de la farine pour obtenir une pâte ferme. Roulez en boule, placez dans un récipient légèrement huilé, couvrez d'un film alimentaire et laissez dans un endroit tiède au moins 1 heure. La pâte doit doubler de volume.

2 Pour faire la farce, faites revenir le poivron rouge et l'ail 4 à 5 minutes. Ajoutez les autres ingrédients et faites revenir 2 à 3 minutes en remuant. Quand le mélange est épais et sirupeux, éloignez-le du feu. Laissez refroidir et réservez.

3 Reprenez la pâte, enfoncez le poing dans le récipient pour en extraire l'air et versez-la sur une surface farinée. Divisez-la en 12 morceaux, roulez chacun en boule. Couvrez d'un torchon et laissez reposer 5 minutes dans un endroit tiède.

4 Aplatissez chaque boule en un cercle de 7,5 cm de diamètre. Posez 1 cuillerée à soupe de farce sur chaque cercle. Mouillez les bords, puis refermez chacun des cercles sur la pâte et sur lui-même en pinçant le haut de la bourse ainsi formée. Placez-les sur un papier sulfurisé, fermeture vers le bas. Laissez reposer 10 minutes.

5 Remplissez à demi le wok d'eau bouillante. Placez les petits pains dans un cuiseur à vapeur en bambou huilé, sans qu'ils se touchent. Couvrir, laissez cuire à la vapeur 20 minutes. Laissez refroidir, posez sur un plat de service garni de feuilles de salade et décorez avec les tiges de petit oignon blanc.

Rouleaux de printemps au poulet

1

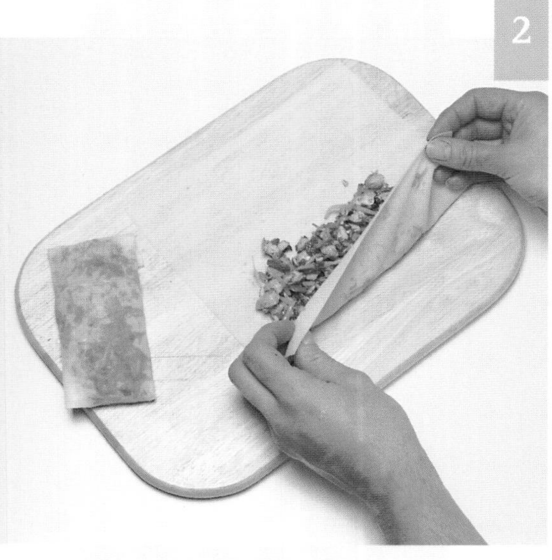
2

3

INGRÉDIENTS — Pour 12 à 14 rouleaux

Pour la farce

1 cuil. à soupe d'huile d'arachide
2 tranches de poitrine de porc en dés
225 g de blanc de poulet coupé en petits morceaux
1 petit poivron rouge épépiné et haché finement
4 petits oignons blancs épluchés et coupés finement
1 petit morceau (2,5 cm environ) de gingembre frais épluché et haché finement
75 g de pois mangetout coupés finement
75 g de germes de soja
1 cuil. à soupe de sauce de soja
2 cuil. à café de vin chinois ou de xérès
2 cuil. à café de sauce *hoisin* (voir p. 52)

Pour les rouleaux

3 cuil. à soupe de farine
12 à 14 feuilles de pâte de riz
300 ml d'huile végétale pour la friture
tiges de petit oignon blanc pour le décor
vert de petit oignon blanc pour le décor
sauce au soja pour accompagner

1 Faites chauffer un grand wok, ajoutez l'huile et, quand elle est bien chaude, mettez les dés de poitrine à dorer 2 à 3 minutes. Ajoutez le poulet et le poivron, faites revenir en remuant 2 à 3 minutes. Ajoutez alors le reste des ingrédients de la farce, faites revenir 3 à 4 minutes. Les légumes doivent être tendres. Versez la préparation dans une passoire, laissez égoutter et refroidir.

2 Délayez la farine avec 1 cuillerée et demie à soupe d'eau. Trempez 1 à 2 secondes une feuille de riz dans une assiette d'eau chaude pour la ramollir, puis posez-la sur un torchon pour la sécher. Posez 2 à 3 cuillerées à café de farce près du bord de la feuille de riz, repliez le bord sur la farce, puis les côtés et roulez. Collez avec un peu de farine. Posez les rouleaux sur la plaque du four, fermeture vers le bas.

3 Dans un grand wok, faites chauffer l'huile de friture à 190 °C jusqu'à ce qu'un petit cube de pain jeté dans l'huile dore en 30 secondes. Mettez 3 à 4 rouleaux dans la friture, jusqu'à ce qu'ils soient bien dorés, tournez-les une fois. Égouttez sur du papier absorbant. Posez les rouleaux sur l'assiette de service chauffée, avec les verts de petit oignon blanc pour décorer. Servez chaud avec la sauce de soja.

Le bon truc

Comme souvent dans la cuisine au wok, vous devez couper les ingrédients très uniformément en petits morceaux afin qu'ils cuisent rapidement et que les rouleaux soient plus faciles à envelopper.

Wonton au porc

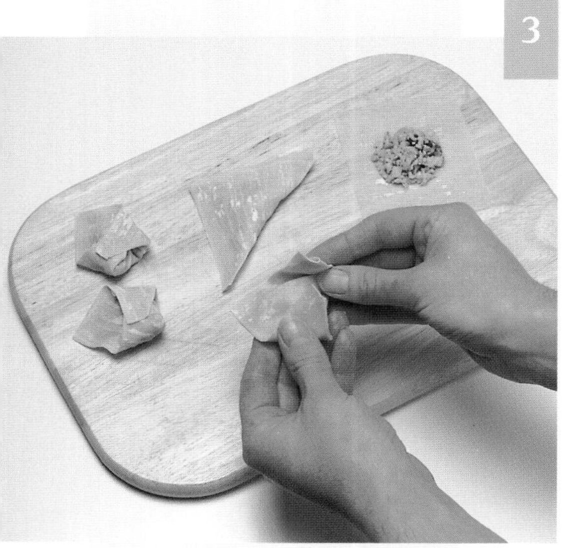

INGRÉDIENTS Pour 24 wonton

Pour la farce

275 g de viande de porc cuit haché finement
2 à 3 petits oignons blancs épluchés, coupés finement
1 petit morceau (2,5 cm environ) de gingembre épluché et râpé
1 gousse d'ail épluchée et écrasée
1 petit œuf légèrement battu
1 cuil. à soupe de sauce de soja
1 cuil. à café de sucre roux
1 cuil. à café de sauce au piment doux ou de ketchup
24 à 30 feuilles à wonton (8 cm^2)
300 ml d'huile végétale pour la friture

Pour la sauce au gingembre servie en accompagnement

4 cuil. à soupe de sauce de soja
1 à 2 cuil. à soupe de vinaigre de riz ou de framboise
1 petit morceau (2,5 cm environ) de gingembre coupé en fines lanières
1 cuil. à soupe d'huile de sésame
1 cuil. à soupe de sucre roux
2 à 3 gouttes de sauce au piment
vert de petit oignon blanc pour le décor

1 Mettez tous les ingrédients de la farce dans le bol d'un robot. Donnez plusieurs impulsions jusqu'à ce que le mélange soit bien homogène. Mais n'insistez pas, la farce doit garder une apparence grossière.

2 Posez une feuille à wonton sur une planche propre. Déposez 1 cuillerée à café de farce au centre.

3 Humidifiez les bords, rabattez en triangle et appuyez pour les sceller. Humidifiez les deux autres coins et rabattez-les fermement pour former une enveloppe bien régulière.

4 Pour la sauce, mélangez tous les ingrédients jusqu'à ce que le sucre soit fondu. Versez dans un petit plat de service et réservez.

5 Faites chauffer l'huile de friture dans un grand wok à 190 °C, jusqu'à ce qu'un petit cube de pain jeté dans l'huile dore en 30 secondes.

6 Mettez 5 à 6 wonton dans la friture, jusqu'à ce qu'ils soient bien dorés, tournez-les une ou deux fois. Égouttez sur du papier absorbant. Posez-les sur le plat de service chauffé, avec les verts de petit oignon blanc pour décorer. Servez chaud, avec la sauce au gingembre à part.

Salade de crevettes au riz grillé

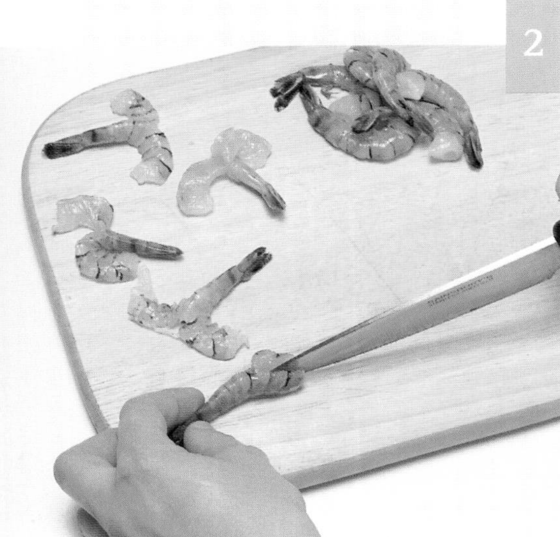

2

3

4

INGRÉDIENTS — Pour 4 personnes

Pour la sauce

50 ml de vinaigre de riz
1 piment rouge épépiné, coupé finement
1 morceau de 7,5 cm de tige de citronnelle écrasée (dans les épiceries asiatiques)
jus de 1 citron vert
2 cuil. à soupe de sauce de poisson
1 cuil. à café de sucre

Pour la salade

350 g de grosses crevettes crues, sans tête et décortiquées, sauf les queues
poivre de Cayenne
1 cuil. à soupe de riz long grain
sel et poivre
2 cuil. à soupe d'huile de tournesol
1 petit chou chinois coupé finement
½ petit concombre pelé, épépiné et coupé finement
1 bouquet de ciboulette en tronçons de 2,5 cm
1 petit bouquet de menthe

1 Placez tous les ingrédients de la sauce dans un petit bol, mélangez et laissez reposer.

2 Avec un couteau bien affûté, enlevez la veine noire des crevettes, puis découpez-les en laissant la queue. Épongez-les dans du papier absorbant. Saupoudrez d'un peu de sel et de poivre de Cayenne. Réservez.

3 Faites chauffer le wok à feu vif. Ajoutez le riz et remuez bien, jusqu'à ce que les grains soient bien dorés et odorants. Versez dans un mortier et laissez refroidir. Écrasez doucement avec un pilon jusqu'à obtenir une sorte de chapelure assez grossière. Essuyez le wok.

4 Réchauffez le wok, ajoutez l'huile et mettez les crevettes. Faites-les revenir 2 minutes à feu vif, jusqu'à ce qu'elles deviennent rouges. Placez sur un plat, salez et poivrez.

5 Mettez les feuilles de chou chinois dans un saladier avec le concombre, la ciboulette et les feuilles de menthe. Mélangez doucement.

6 Reprenez la sauce, enlevez la citronnelle et quelques fragments du piment. Versez-la sur la salade, en conservant 2 cuillerées à soupe. Tournez bien. Ajoutez les crevettes, le reste de la sauce, puis saupoudrez avec le riz grillé. Servez.

Travers de porc au miel

1

INGRÉDIENTS

Pour 4 personnes

900 g de travers de porc coupé en morceaux de 7,5 cm environ
125 ml de jus d'abricot ou d'orange
50 ml de vin blanc sec
3 cuil. à soupe de sauce aux haricots noirs
3 cuil. à soupe de ketchup
3 cuil. à soupe de miel liquide
3 à 4 petits oignons blancs épluchés et hachés
2 gousses d'ail épluchées et écrasées
zeste d'une petite orange (non traitée)
sel et poivre

Pour le décor
vert de petit oignon blanc
quartiers de citron

2

4

1 Mettez les morceaux de travers de porc dans le wok, couvrir d'eau froide. Amenez à ébullition sur feu moyen, en retirant la mousse qui se forme à la surface au fur et à mesure. Couvrez et faites cuire doucement 30 minutes. Égouttez et rincez à l'eau froide.

2 Rincez et essuyez le wok. Remettez les morceaux de porc à l'intérieur. Dans un bol, mélangez le jus d'abricot ou d'orange avec le vin blanc, la sauce aux haricots noirs, le ketchup et le miel.

3 Ajoutez les petits oignons blancs hachés, l'ail et le zeste d'orange. Mélangez bien.

4 Versez sur les morceaux de viande dans le wok, tournez pour qu'ils soient bien enrobés de sauce. Posez le wok sur feu moyen.

5 Faites cuire à couvert 1 heure en tournant les morceaux de temps à autre, jusqu'à ce que la viande soit tendre et la sauce épaisse et collante (si elle devient épaisse trop tôt, ajoutez 1 cuillerée à café d'eau à la fois). Rectifiez l'assaisonnement, puis versez les morceaux dans un plat de service, décorez de vert de petit oignon blanc et de quartiers de citron. Servez sans attendre.

Le bon truc

Demandez à votre boucher de vous couper le travers de porc en morceaux, car les os sont assez durs. Faites d'abord cuire la viande au bouillon, elle sera plus tendre, le plat plus succulent, et vous réduirez ainsi sa teneur en matières grasses.

Cuisses de poulet glacées au soja

INGRÉDIENTS — Pour 6 à 8 personnes

900 g de cuisses de poulet
2 cuil. à soupe d'huile végétale
3 à 4 gousses d'ail épluchées et écrasées
1 morceau de gingembre (4 cm) épluché et haché finement ou râpé
125 ml de sauce de soja
2 à 3 cuil. à soupe de vin de riz ou de xérès
2 cuil. à soupe de miel
1 cuil. à soupe de sucre roux
2 à 3 gouttes de sauce au piment
persil haché pour le décor

1 Faites chauffer un grand wok, ajoutez l'huile et, quand elle est bien chaude, mettez les cuisses de poulet à revenir 5 minutes, éventuellement en plusieurs fois, jusqu'à ce qu'elles soient bien dorées. Déposez-les sur du papier absorbant pour enlever l'excès de graisse.

2 Jetez l'huile, essuyez le wok avec du papier absorbant (attention à ne pas vous brûler). Mettez l'ail, le gingembre, la sauce de soja, le vin de riz ou de xérès et le miel dans le wok. Mélangez bien. Saupoudrez de sucre roux et ajoutez la sauce au piment. Faites chauffer rapidement.

3 Réduisez la chaleur, et quand la préparation cuit à petit bouillon, ajoutez les cuisses de poulet. Couvrez et faites cuire doucement 30 minutes. La viande doit être tendre et la sauce, réduite et épaissie, doit enrober les cuisses de poulet.

4 Pendant la cuisson, remuez la sauce de temps à autre et arrosez les morceaux de poulet. Ajoutez 1 cuillerée à café d'eau à la fois si la sauce épaissit trop vite. Versez dans un plat de service creux, saupoudrez de persil ciselé et servez sans attendre.

Une question de goût

Vous pouvez remplacer les cuisses par des ailes de poulet, souvent délaissées mais savoureuses. Servies enrobées de la sauce de soja, elles font un excellent amuse-gueule. N'oubliez pas les rince-doigts.

Canard sauté aux feuilles de laitue

INGRÉDIENTS — Pour 4 à 6 personnes

- 15 g de champignons parfumés secs
- 2 cuil. à soupe d'huile végétale
- 400 g de magret de canard sans peau, coupé en tranches fines en travers de la viande
- 1 piment rouge épépiné, coupé finement en diagonale
- 4 à 6 petits oignons blancs épluchés et coupés finement en diagonale
- 2 gousses d'ail épluchées et écrasées
- 75 g de germes de soja
- 3 cuil. à soupe de sauce de soja
- 1 cuil. à soupe de vin de riz chinois ou de xérès
- 1 à 2 cuil. à café de miel liquide ou de sucre roux
- 4 à 6 cuil. à soupe de sauce *hoisin* (voir ci-dessous)
- feuilles de laitue ou de batavia larges et craquantes
- 1 poignée de feuilles de menthe
- sauce au soja servie en accompagnement (voir Gambas aux graines de sésame, page 36)

1 Couvrez les champignons d'eau presque bouillante, laissez tremper 20 minutes, puis épongez et coupez finement.

2 Faites chauffer un grand wok, ajoutez l'huile et faites revenir le canard 3 à 4 minutes à feu vif. Retirez à l'écumoire et réservez.

3 Ajoutez le piment, les petits oignons blancs, l'ail et les champignons. Remuez et faites revenir 2 à 3 minutes jusqu'à ce que tous les ingrédients soient bien dorés.

4 Ajoutez les germes de soja, la sauce de soja, le vin de riz ou le xérès et le miel ou le sucre. Continuez à remuer 1 minute pour que tous les ingrédients soient bien mélangés.

5 Ajoutez les tranches de canard, faites revenir 2 minutes jusqu'à ce que le tout soit très chaud. Versez dans un plat de service bien chauffé.

6 Versez la sauce *hoisin* dans un petit bol, placé sur un plateau ou une assiette couverte de feuilles de salade mélangées avec des feuilles de menthe.

7 Demandez à chaque convive de prendre une feuille de salade, de verser un peu de sauce *hoisin*, de recouvrir d'une tranche de canard sauté, puis de rouler la feuille pour enfermer la farce. Servez avec une sauce au soja, à part.

Un peu d'info

La sauce *hoisin*, à base de haricots de soja, d'ail, de piment et de sucre, est à la fois douce, épicée et aromatique.

Fricadelles scandinaves

2

3

5

INGRÉDIENTS

Pour 4 à 6 personnes

50 g de beurre
1 oignon épluché et haché finement
50 g de mie de pain ou de chapelure
1 œuf battu
125 ml de crème fraîche
sel et poivre
350 g de viande de veau hachée finement
125 g de viande de porc hachée finement
3 à 4 cuil. à soupe d'aneth ciselé
½ cuil. à café de poudre quatre-épices
1 cuil. à soupe d'huile végétale
125 ml de bouillon de bœuf
sauce au fromage, crème épaisse à la ciboulette ciselée ou confiture d'airelle pour accompagner

1 Faites chauffer la moitié du beurre dans un grand wok, ajoutez les oignons et faites-les revenir 4 à 5 minutes. Mettez-les à refroidir dans un saladier. Essuyez le wok avec du papier absorbant (attention à ne pas vous brûler).

2 Ajoutez aux oignons la mie de pain émiettée ou la chapelure, l'œuf battu et 1 à 2 cuillerées à soupe de crème. Salez et poivrez, mélangez bien. Ajoutez enfin les viandes en les émiettant.

3 Ajoutez la moitié de l'aneth et la poudre quatre-épices. Pétrissez à la main pour que tous les ingrédients soient parfaitement mélangés. Mouillez vos mains et formez de petites boulettes de 2,5 cm de diamètre.

4 Faites fondre le reste du beurre dans le wok, ajoutez l'huile végétale et faites tourner le wok pour qu'elle recouvre aussi les côtés.

5 En plusieurs fois, mettez environ un quart ou un tiers des boulettes dans le wok, faites dorer d'un côté 5 minutes, puis tournez pour faire dorer l'autre côté.

6 Versez dans un plat chauffé et continuez avec le reste des boulettes. Mettez dans l'assiette au fur et à mesure qu'elles sont cuites.

7 Jetez l'huile de cuisson, ajoutez le bouillon de bœuf, amenez à ébullition et faites réduire de moitié, en remuant et en grattant les sucs attachés au fond du wok. Ajoutez le reste de la crème et tournez doucement pour lier la sauce.

8 Mettez le reste de l'aneth, rectifiez l'assaisonnement si nécessaire. Ajoutez les boulettes et réchauffez 2 à 3 minutes. Servez avec des pique-olives et une sauce au fromage ou de la crème épaisse à la ciboulette ou encore de la confiture d'airelle, à part.

Salade de thon frais

INGRÉDIENTS — Pour 4 personnes

225 g de feuilles de salades mélangées
225 g de tomates cerises coupées en deux
125 g de roquette lavée
2 cuil. à soupe d'huile d'arachide
550 g de darnes de thon coupées en quatre
50 g de parmesan frais

Pour la sauce
8 cuil. à soupe d'huile d'olive
zeste râpé et jus de 2 petits citrons (non traités)
1 cuil. à soupe de moutarde à l'ancienne
sel et poivre

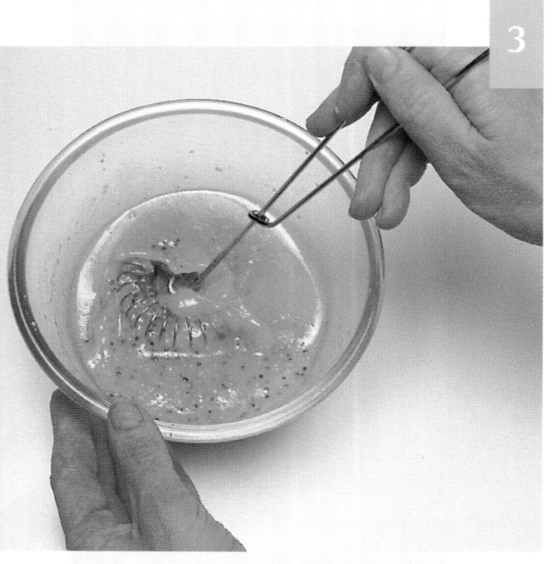

1 Lavez les feuilles de salade, essorez-les et mettez-les dans un grand saladier avec la roquette et les tomates cerises.

2 Faites chauffer le wok, ajoutez l'huile et les morceaux de thon. Laissez-les cuire 4 à 6 minutes à feu vif, en les retournant une fois. Retirez lorsque le poisson s'écaille facilement. Éloignez du feu et laissez reposer 2 minutes avant d'égoutter.

3 Pendant ce temps, faites la sauce. Versez l'huile d'olive, le zeste, le jus des citrons et la moutarde dans un petit bol et mélangez. Assaisonnez de sel et de poivre.

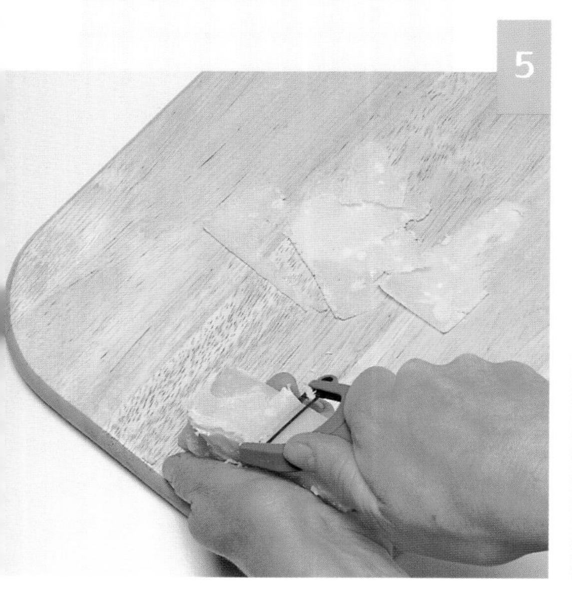

4 Écaillez le poisson sur une planche à découper. Ajoutez-le à la salade en mélangeant avec précaution.

5 Avec un couteau éplucheur, coupez de très fines tranches de parmesan. Disposez la salade dans 4 assiettes, arrosez de sauce et parsemez le parmesan en surface.

Le bon truc

On trouve dans les grandes surfaces des sachets de salades mélangées prêtes à l'emploi, qui peuvent sembler coûteuses, mais qui ne présentent que très peu de déchets. Lavez les feuilles avant utilisation.

Noisettes de saumon sauce fruitée

1

2

3

INGRÉDIENTS Pour 4 personnes

4 darnes de saumon de 125 g chacune
zestes râpés et jus de 2 citrons
zeste râpé et jus de 1 citron vert
3 cuil. à soupe d'huile d'olive
1 cuil. à soupe de miel liquide
1 cuil. à soupe de moutarde à l'ancienne
gros sel de mer et poivre
1 cuil. à soupe d'huile d'arachide
125 g de feuilles de salades mélangées
1 botte de cresson lavé et équeuté
250 g de tomates cerises coupées en deux

1 À l'aide d'un couteau pointu, enlevez l'arrête centrale du saumon en formant deux filets. Formez les noisettes, entourez d'une ficelle de cuisine pour les maintenir en place.

2 Dans un petit plat creux, mélangez les zestes et les jus des citrons, l'huile d'olive, le miel liquide, la moutarde, le sel et le poivre. Posez les noisettes dans cette sauce, tournez-les. Couvrez et laissez mariner 4 heures dans le réfrigérateur, en les retournant une ou deux fois.

3 Faites chauffer le wok, ajoutez l'huile et, quand elle est bien chaude, les noisettes de saumon égouttées (réservez la marinade). Faites cuire 6 à 10 minutes en retournant à mi-cuisson. Le poisson doit commencer à s'écailler. Versez alors la marinade et réchauffez à feu doux.

4 Mélangez les feuilles de salade et le cresson, mettez-les sur des assiettes de service. Disposez le saumon dessus, arrosez de la sauce chaude et servez immédiatement.

Le bon truc

N'hésitez pas à utiliser quelques feuilles de salade légèrement amère, frisée ou romaine, qui s'accommodent bien de la chaleur du saumon et contrasteront avec la saveur sucrée de la sauce.

Saumon sauce aux fraises

1

3

4

INGRÉDIENTS Pour 4 personnes

4 pavés de saumon de 150 g chacun
25 g de beurre
2 cuil. à soupe d'huile d'arachide
1 pomme épluchée et coupée en petits cubes
1 bouquet de petits oignons blancs épluchés et coupés finement en diagonale
1 gousse d'ail épluchée et coupée finement
50 g de pignons
jus de 1 citron
125 g de fraises équeutées et coupées en deux
1 bouquet de basilic ciselé
sel et poivre

Pour accompagner
purée de pommes de terre à la crème
fèves

1 Lavez les pavés de saumon, essuyez-les avec du papier absorbant. Chauffez le wok, ajoutez le beurre et la moitié de l'huile et, quand le mélange est bien chaud, posez les filets de saumon, côté chair d'abord, 5 minutes. Puis retournez-les délicatement à la palette et laissez-les cuire encore 5 minutes ; selon l'épaisseur, ils doivent juste commencer à s'écailler.

2 Posez les filets de saumon sur des assiettes chauffées, réservez au chaud à l'entrée du four. Essuyez le wok, versez le reste de l'huile et chauffez jusqu'à ce qu'elle soit très chaude.

3 Ajoutez les morceaux de pomme, les petits oignons blancs, l'ail et les pignons. Faites revenir 5 minutes en remuant de temps à autre, jusqu'à ce que tout soit bien doré.

4 Ajoutez le jus de citron, les fraises, le basilic, le sel et le poivre, remuez jusqu'à ce que tout soit bien chaud.

5 Versez la sauce sur les pavés de saumon et servez immédiatement, avec une purée de pommes de terre et des fèves.

Le bon truc

Cette sauce aux fruits inhabituelle apporte le contraste acide qui convient à la richesse du poisson. Ne faites pas cuire les fraises trop longtemps, elles perdraient leur texture et leur goût.

Crevettes sautées

3

3

4

INGRÉDIENTS — Pour 4 personnes

75 g de nouilles chinoises aux œufs
125 g de brocolis en fleurettes
125 g de mini-épis de maïs
3 cuil. à soupe de soja
1 cuil. à soupe de jus de citron
1 pincée de sucre
1 cuil. à café de sauce au piment
1 cuil. à café d'huile de sésame
2 cuil. à soupe d'huile de tournesol
450 g de crevettes décortiquées et débarrassées de leur veine noire
1 petit morceau (2,5 cm environ) de gingembre épluché et coupé en fines lanières
1 gousse d'ail épluchée et hachée
1 petit piment rouge épépiné et coupé finement
2 œufs légèrement battus
225 g de châtaignes d'eau (dans les épiceries asiatiques) égouttées et coupées finement

1 Faites cuire les nouilles aux œufs dans un grand wok d'eau bouillante, 6 minutes en remuant de temps à autre. Égouttez et réservez. Plongez 2 minutes les bouquets de brocolis et les mini-maïs dans l'eau bouillante, puis dans l'eau froide. Égouttez et réservez.

2 Mélangez dans un bol la sauce de soja, le jus de citron, le sucre, la sauce au piment et l'huile de sésame. Réservez.

3 Faites chauffer un grand wok, mettez l'huile de tournesol et ajoutez les crevettes. Faites-les revenir 2 à 3 minutes à feu vif jusqu'à ce qu'elles soient roses de tous côtés. Avec une écumoire, sortez les crevettes et déposez-les sur une assiette. Réservez. Faites revenir le gingembre quelques secondes, ajoutez l'ail et le piment, laissez cuire encore 30 secondes.

4 Versez les nouilles dans le wok, faites frire 3 minutes en remuant, ajoutez les crevettes, les légumes, les œufs et les châtaignes d'eau. Laissez frire encore 3 minutes. Quand les œufs sont pris, arrosez de la sauce au piment, mélangez avec précaution et servez sans attendre.

Le bon truc

Les nouilles chinoises aux œufs ont différentes épaisseurs et cuisent toutes très rapidement. Il est recommandé d'en détenir toujours dans son placard.

Spaghettis à la crème aux fruits de mer

2

3

4

INGRÉDIENTS — Pour 4 personnes

350 g de spaghettis
2 cuil. à soupe d'huile d'arachide
1 bouquet de petits oignons blancs épluchés et coupés finement en diagonale
1 gousse d'ail épluchée et hachée
125 g de petits pois surgelés
175 g de crevettes décortiquées
¼ concombre épluché et haché
150 ml de vermouth ou de vin blanc sec
150 ml de crème fraîche épaisse
420 g de saumon en boîte égoutté, sans peau ni arête, et détaillé
1 pincée de paprika
sel et poivre
50 g de parmesan fraîchement râpé (facultatif)

1 Faites cuire les spaghettis dans un grand wok d'eau bouillante 8 minutes, en remuant de temps à autre. Ils doivent rester *al dente*, c'est-à-dire encore légèrement fermes. Égouttez et réservez.

2 Faites chauffer un grand wok, ajoutez l'huile et faites revenir les petits oignons blancs 2 minutes à feu vif. Ajoutez l'ail et les petits pois et faites cuire encore 2 minutes.

3 Ajoutez les crevettes, faites-les revenir 2 minutes. Elles doivent être bien chaudes et commencer à dorer. Ajoutez le concombre, faites-le sauter 2 minutes.

4 Versez le vermouth ou le vin blanc sec, ramenez l'ébullition. Laissez cuire 3 minutes jusqu'à ce que la préparation commence à épaissir légèrement.

5 Ajoutez la crème, mélangez bien, puis mettez le saumon et le paprika. Quand la préparation commence à bouillir, ajoutez les pâtes et réchauffez le tout. Rectifiez l'assaisonnement, saupoudrez éventuellement de parmesan et servez sans attendre.

Une question de goût

Pour cette recette, choisissez du vrai saumon, plutôt que du saumon rose de l'Atlantique. Le parfum est nettement supérieur et la texture beaucoup plus ferme. Il existe aussi du saumon en boîte sans peau ni arête.

Crevettes à la noix de coco

1

2

3

INGRÉDIENTS — Pour 4 personnes

- 2 cuil. à soupe d'huile d'arachide
- 450 g de crevettes crues décortiquées
- 2 bottes de petits oignons blancs épluchés et grossièrement coupés
- 1 gousse d'ail épluchée et hachée
- 1 petit morceau (2,5 cm environ) de gingembre frais, épluché et haché finement
- 125 g de champignons parfumés secs lavés et coupés en deux
- 150 ml de vin blanc sec
- 200 ml de crème de noix de coco
- 4 cuil. à soupe de coriandre fraîche ciselée
- sel et poivre
- riz parfumé thaï

1 Faites chauffer un grand wok, ajoutez l'huile et attendez qu'elle soit bien chaude en le faisant tourner pour graisser les côtés. Ajoutez les crevettes crues décortiquées et faites-les revenir à feu vif en remuant 4 à 5 minutes, jusqu'à ce qu'elles deviennent roses et commencent à dorer. Enlevez-les à l'écumoire et réservez au chaud, à l'entrée du four ouvert par exemple.

2 Remplacez-les dans le wok par les petits oignons blancs, l'ail et le gingembre, remuez 1 minute, ajoutez les champignons et faites sauter 3 minutes. Enlevez à l'écumoire, réservez au chaud à l'entrée du four.

3 Versez le vin et la crème de noix de coco dans le wok, amenez à ébullition et faites réduire légèrement 4 minutes.

4 Remettez les champignons et les crevettes dans la sauce, ramenez l'ébullition et laissez cuire 1 minute pour bien réchauffer le tout. Assaisonnez de sel et de poivre. Saupoudrez de coriandre fraîche et servez immédiatement avec le riz parfumé thaï.

Le bon truc

Vous pouvez remplacer les champignons parfumés secs par des champignons de Paris et la crème de noix de coco par du lait de coco, en laissant la sauce réduire davantage.

Curry de homard et de crevettes

2

3

4

INGRÉDIENTS Pour 4 personnes

- 225 g de chair cuite de homard (éventuellement en conserve)
- 225 g de crevettes crues décortiquées et sans veine noire
- 2 cuil. à soupe d'huile d'arachide
- 2 bottes de petits oignons blancs épluchés et grossièrement coupés
- 2 gousses d'ail épluchées et hachées
- I petit morceau (2,5 cm environ) de gingembre épluché et coupé en fines lanières
- 2 cuil. à soupe de pâte de curry rouge thaïlandais
- le zeste et le jus de I citron vert
- 200 ml de crème de noix de coco
- sel et poivre
- 3 cuil. à soupe de coriandre fraîchement ciselée
- riz parfumé thaïlandais pour accompagner

1 Avec un couteau bien affûté, coupez la chair de homard en grosses tranches. Lavez les crevettes et épongez-les dans du papier absorbant. Faites une petite entaille de 1 cm près de la queue des crevettes et réservez.

2 Faites chauffer un grand wok, ajoutez l'huile, et quand elle est bien chaude, faites revenir la chair de homard et les crevettes 4 à 6 minutes, jusqu'à ce que celles-ci deviennent roses. Enlevez à l'écumoire et réservez au chaud, à l'entrée du four ouvert, par exemple.

3 Mettez les petits oignons blancs dans le wok, faites revenir 2 minutes, ajoutez l'ail et le gingembre et remuez encore 2 minutes. Ajoutez la pâte de curry et remuez 1 minute.

4 Versez la crème de noix de coco, le jus et le zeste de citron vert. Amenez à ébullition et laissez cuire 1 minute. Remettez dans le wok les fruits de mer et leur jus. Laissez cuire 2 minutes. Ajoutez les deux tiers de la coriandre fraîchement ciselée, remuez pour qu'elle soit intégrée à la préparation. Puis saupoudrez du reste de coriandre et servez sans attendre.

Un peu d'info

Cette préparation n'est pas aussi coûteuse qu'elle le paraît, puisque la chair d'un petit homard suffit pour quatre personnes.

Saumon fumé aux fèves et au riz

INGRÉDIENTS — Pour 4 personnes

- 2 cuil. à soupe d'huile de tournesol
- 25 g de beurre
- 1 oignon épluché et haché
- 2 gousses d'ail épluchées et hachées
- 175 g de pointes d'asperges
- 75 g de fèves (éventuellement surgelées)
- 150 ml de vin blanc sec
- 125 g de tomates séchées, égouttées et coupées en tranches
- 125 g de petites feuilles d'épinards en branches
- 450 g de riz long grain cuit
- 3 cuil. à soupe de crème fraîche
- 225 g de saumon fumé, coupé en languettes
- 75 g de parmesan fraîchement râpé
- sel et poivre blanc

1 Faites chauffer un grand wok, ajoutez l'huile et le beurre et quand celui-ci est fondu, faites frire les oignons 3 minutes. Mettez l'ail et les pointes d'asperges à revenir 3 minutes avant d'ajouter les fèves et le vin. Amenez à ébullition, laissez cuire en remuant de temps à autre jusqu'à ce que le vin ait légèrement réduit.

2 Ajoutez les tomates séchées et faites cuire encore 2 minutes en remuant, puis mettez les feuilles d'épinard et le riz cuit. Ramenez l'ébullition et laissez cuire 2 minutes, jusqu'à ce que les feuilles d'épinards soient réduites et le riz entièrement réchauffé.

3 Versez la crème fraîche, le saumon fumé coupé en languettes et le parmesan. Réchauffez le tout en remuant doucement, rectifiez l'assaisonnement et servez immédiatement.

Le bon truc

Pour faire cuire 450 g de riz, prenez 175 g de riz long grain, lavez-le dans plusieurs eaux, égouttez. Mettez-le dans une casserole, couvrez d'eau suffisamment pour qu'elle dépasse le riz de 2,5 cm, ajoutez du sel et mélangez bien pour le faire fondre. Amenez rapidement à ébullition, couvrez hermétiquement et baissez le feu au minimum. Faites cuire à tout petit frémissement 10 minutes. Éteignez le feu et laissez encore 10 minutes sans soulever le couvercle.

Riz frit spécial

1

2

3

INGRÉDIENTS Pour 4 personnes

morceaux de beurre
4 œufs battus
4 cuil. à soupe d'huile d'arachide
1 botte de petits oignons blancs épluchés et coupés finement dans la longueur en fines lanières
125 g de jambon cuit en dés
350 g de grandes crevettes cuites décortiquées (éventuellement décongelées)
125 g de petits pois (éventuellement décongelés)
450 g de riz long grain cuit
2 cuil. à soupe de sauce de soja foncée
1 cuil. à soupe de xérès ou de vermouth
sel et poivre
1 cuil. à soupe de coriandre fraîchement ciselée

1 Faites chauffer le wok, ajoutez le beurre en faisant tourner le récipient pour graisser les bords. Versez la moitié des œufs battus. Faites cuire 4 minutes en remuant fréquemment. Quand l'omelette est cuite, soulevez-la du wok avec une palette. Roulez-la en forme de saucisse. Quand elle est refroidie, coupez-la en lanières à l'aide d'un couteau bien affûté. Réservez.

2 Essuyez le wok avec du papier absorbant et chauffez-le de nouveau. Ajoutez l'huile, laissez-la bien chauffer et mettez les petits oignons blancs, le jambon, les crevettes et les petits pois, faites sauter le tout 2 minutes. Ajoutez le riz et laissez cuire 2 minutes.

3 Ajoutez le reste des œufs battus, faites cuire 3 minutes jusqu'à ce qu'ils aient pris. Versez la sauce de soja et le xérès, assaisonnez puis réchauffez le tout. Ajoutez les lanières d'omelette en rondelles, mélangez doucement pour ne pas les défaire. Saupoudrez de coriandre ciselée et servez immédiatement.

Le bon truc

Pour cette recette, utilisez du riz cuit (voir Le bon truc de la recette précédente). Froid, il colle moins au wok. Assurez-vous toutefois de le réchauffer à fond et de le servir très chaud. Ne le réchauffez pas plus d'une fois et ne le conservez pas plus de vingt-quatre heures.

Lotte sautée au piment

INGRÉDIENTS

Pour 4 personnes

350 g de nouilles torsadées
550 g de lotte coupée en cubes
2 cuil. à soupe d'huile d'arachide
1 piment vert épépiné et coupé en fines lanières
2 cuil. à soupe de graines de sésame
1 pincée de poivre de Cayenne
tranches de piment vert pour le décor

Pour la marinade
1 gousse d'ail épluchée et coupée finement
2 cuil. à soupe de sauce de soja foncée
le zeste et le jus de 1 citron vert
1 cuil. à soupe de sauce aux piments doux
4 cuil. à soupe d'huile d'olive

1 Dans une grande casserole, amenez à ébullition de l'eau salée, versez les pâtes. Remuez, ramenez l'ébullition et faites cuire 8 minutes, jusqu'à ce qu'elles soient *al dente*. Égouttez et réservez.

2 Pour la marinade, mélangez l'ail coupé finement, la sauce de soja, le zeste et le jus de citron, la sauce aux piments doux et l'huile d'olive dans un plat creux. Ajoutez les morceaux de lotte, remuez jusqu'à ce qu'ils soient bien enrobés, couvrez et réservez au frais 30 minutes au moins, en retournant le poisson de temps à autre.

3 Égouttez le poisson, en ayant soin de bien en éliminer la marinade. Faites chauffer un grand wok, ajoutez l'huile et, quand elle est bien chaude, faites revenir les morceaux de lotte 3 minutes. Ajoutez le piment vert et les graines de sésame. Faites revenir encore 1 minute en remuant.

4 Versez les torsades et la marinade dans le wok, remuez et faites réchauffer 1 à 2 minutes. Saupoudrez de poivre de Cayenne, garnissez de languettes de piment vert. Servez immédiatement.

Le bon truc

Vous pouvez demander à votre poissonnier de découper la lotte en morceaux, mais vous pouvez aussi le faire vous-même. Enlevez la peau et les membranes. Piquez la lame d'un grand couteau dans la chair pour atteindre l'épine dorsale. En restant au plus près de l'os, faites glisser la lame au centre du poisson, sur toute sa longueur, des deux côtés, pour lever les filets.

Saumon teriyaki

1

2

3

INGRÉDIENTS Pour 4 personnes

450 g de filet de saumon sans peau
6 cuil. à soupe de sauce japonaise *teriyaki* (voir encadré)
1 cuil. à soupe de vinaigre de riz
1 cuil. à soupe de concentré de tomate
2 à 3 gouttes de Tabasco
le zeste râpé de ½ citron
sel et poivre
4 cuil. à soupe d'huile d'arachide
1 carotte épluchée et coupée en fines lanières
125 g de pois mangetout
125 g de pleurotes essuyés

1 À l'aide d'un couteau bien affûté, coupez le filet de saumon en tranches transversales et mettez-les dans un plat creux. Mélangez dans un bol la sauce *teriyaki*, le vinaigre de riz, le concentré de tomate, le Tabasco, le zeste de citron, le sel et le poivre. Versez le mélange sur le saumon, couvrez et laissez mariner 30 minutes, en retournant les morceaux de temps à autre.

2 Faites chauffer un grand wok, ajoutez 2 cuillerées d'huile et faites revenir les carottes 2 minutes à feu très vif, puis les pois mangetout 2 minutes encore. Ajoutez les pleurotes, faites revenir 4 minutes jusqu'à ce qu'ils soient tendres. Avec une écumoire, répartissez la préparation dans 4 assiettes chauffées et réservez au chaud à l'entrée du four.

3 Sortez le saumon de la marinade, en réservant celle-ci. Versez le reste d'huile dans le wok, faites-la bien chauffer et faites sauter le saumon 4 à 5 minutes en retournant les tranches une fois. Le poisson doit tout juste commencer à s'écailler. Ajoutez la marinade, réchauffez 1 minute. Mettez le poisson sur les légumes, arrosez avec la marinade et servez immédiatement.

Une question de goût

Vous pouvez trouver la sauce japonaise *teriyaki* toute prête. Toutefois, essayez de la faire vous-même en mélangeant 2 cuillerées à soupe de saké, 2 cuillerées à soupe de mirin (vin de riz doux), 2 cuillerées à soupe de sauce de soja japonaise (kikkoman) et 2 cuillerées à soupe de sucre. Fouettez jusqu'à dissolution du sucre.

Croquettes de carrelet parfumées à la sauce tartare

1

2

3

INGRÉDIENTS Pour 4 personnes

75 g de chapelure
3 cuil. à soupe de parmesan fraîchement râpé
sel et poivre
1 cuil. à soupe d'origan ou de marjolaine
1 œuf
450 g de carrelet en filets
300 ml d'huile végétale pour friture
pommes de terre frites pour accompagner

Pour la sauce tartare
200 ml de mayonnaise
50 g de cornichons en rondelles fines
2 cuil. à soupe de ciboulette fraîchement ciselée
1 gousse d'ail épluchée et écrasée
2 à 3 cuil. à soupe de câpres, égouttées et légèrement hachées
1 pincée de poivre de Cayenne
huile de tournesol

1 Mélangez la chapelure, le parmesan, le sel, le poivre et l'origan sur une grande assiette. Battez légèrement l'œuf dans une assiette creuse. Avec un couteau bien affûté, coupez les filets en morceaux épais. Trempez-les dans l'œuf battu, égouttez légèrement, puis roulez dans la chapelure au parmesan. Mettez les croquettes sur la plaque du four, couvrez et laissez reposer 30 minutes au réfrigérateur.

2 Pendant ce temps, confectionnez la sauce tartare dans un bol, en mélangeant mayonnaise, rondelles de cornichons, ciboulette, gousse d'ail, câpres et poivre de Cayenne. Couvrez, réservez au réfrigérateur.

3 Chauffez l'huile dans le wok (jusqu'à ce qu'un petit cube de pain dore en 30 secondes). Versez 3 à 4 croquettes à la fois dans l'huile bouillante et faites-les frire 4 minutes, en les retournant. Égouttez sur du papier absorbant. Servez immédiatement avec les pommes frites et la sauce tartare.

Une question de goût

Dans cette recette, vous pouvez remplacer la chapelure par de la mie de pain italien, *focaccia* ou *ciabatta*, séchée et écrasée.

Coquilles Saint-Jacques à l'orientale

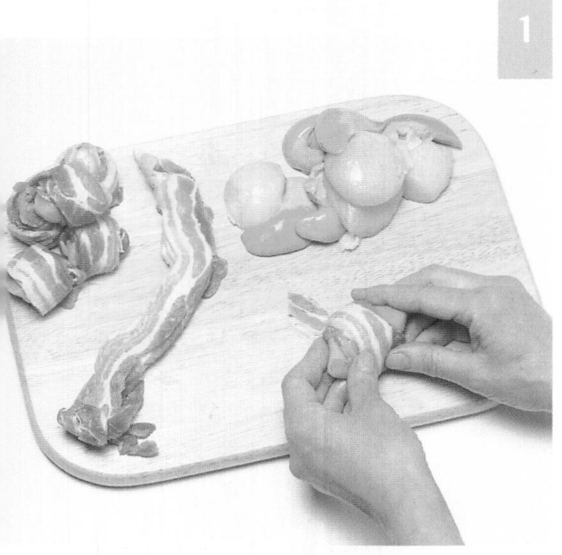

INGRÉDIENTS — Pour 6 personnes

- 12 noix de coquilles Saint-Jacques
- 12 tranches de lard fumé
- 2 cuil. à soupe d'huile d'arachide
- 1 oignon rouge épluché et coupé en rondelles
- 1 poivron rouge épépiné et coupé finement
- 1 poivron jaune épépiné et coupé finement
- 2 gousses d'ail épluchées, hachées
- ½ cuil. à café de *garam masala* (mélange d'épices, dans les épiceries asiatiques)
- 1 cuil. à soupe de concentré de tomate
- 1 cuil. à soupe de paprika
- 4 cuil. à soupe de coriandre fraîchement ciselée

Pour accompagner

nouilles chinoises

salade orientale

1 Enlevez les barbes noires des coquilles Saint-Jacques, faites-les tremper 10 minutes dans de l'eau froide, épongez-les dans du papier absorbant. Enveloppez chaque noix et son corail dans une tranche de lard fumé, puis placez-les sur une plaque, couvrez et mettez-les au réfrigérateur 30 minutes.

2 Faites chauffer le wok, versez 1 cuillerée d'huile et faites revenir l'oignon 3 minutes. Ajoutez les poivrons, faites cuire 5 minutes en remuant jusqu'à ce qu'ils soient dorés. Enlevez les légumes à l'écumoire et réservez.

3 Versez le reste de l'huile dans le wok, faites-la bien chauffer et ajoutez les noix de Saint-Jacques, côté fermeture vers le bas. Faites revenir 2 à 3 minutes de chaque côté. Le lard doit être bien doré et les noix presque tendres. Ajoutez l'ail, le *garam masala* (mélange d'épices), le concentré de tomate et le paprika. Remuez doucement pour que toutes les noix de Saint-Jacques soient imprégnées.

4 Mettez les légumes à réchauffer 1 à 2 minutes et servez immédiatement, avec des nouilles et une salade orientale.

Le bon truc

Vous pouvez acheter des noix de Saint-Jacques surgelées, avec ou sans corail. Si vous les achetez vivantes, assurez-vous qu'elles le sont en pressant les coquilles qui doivent se refermer. Pour ouvrir, passez la lame d'un couteau à l'intérieur, le long de la partie plate de la coquille. Détachez ensuite le mollusque dans la partie arrondie de la coquille.

Crevettes sautées aux légumes

INGRÉDIENTS — Pour 4 personnes

3 cuil. à soupe de sauce de soja
1 cuil. à café de Maïzena
1 pincée de sucre
6 cuil. à soupe d'huile d'arachide
450 g de crevettes, coupées en deux dans la longueur
125 g de carottes épluchées, coupées en fines lanières
1 petit morceau (2,5 cm environ) de gingembre frais, épluché et coupé en fines lanières
125 g de pois mangetout coupés dans la longueur
125 g d'asperges coupées en tronçons
125 g de germes de soja
¼ de chou chinois coupé en lanières
2 cuil. à café d'huile de sésame

1 Mélangez la sauce de soja, la Maïzena et le sucre dans un petit bol. Réservez.

2 Faites chauffer un grand wok, versez 3 cuillerées à soupe d'huile et, quand elle est bien chaude, ajoutez les crevettes. Faites revenir 4 minutes, jusqu'à ce qu'elles soient uniformément roses. Enlevez à l'écumoire et réservez sur une assiette, à l'entrée du four chaud.

3 Versez le reste de l'huile dans le wok et faites revenir les carottes et le gingembre 1 minute à feu très vif, puis les pois mangetout 1 minute et les asperges 4 minutes.

4 Ajoutez les germes de soja et les lanières de chou chinois, faites revenir 2 minutes jusqu'à ce qu'elles aient légèrement réduit. Versez la sauce de soja, remettez les crevettes et faites réchauffer à chaleur moyenne. Versez l'huile de sésame, remuez encore une fois et servez sans attendre.

Le bon truc

La longue liste des ingrédients de cette préparation ne doit pas vous effrayer. Comme toujours dans la cuisine au wok, il faut que vous les prépariez à l'avance pour les avoir à votre disposition au moment de la cuisson, qui est très rapide.

Cabillaud épicé aux noix de cajou

1

2

4

INGRÉDIENTS Pour 4 personnes

- 1 cuil. à soupe de farine
- 1 cuil. à soupe de coriandre fraîchement ciselée
- 1 cuil. à café de cumin en poudre
- 1 cuil. à café de coriandre en poudre
- sel et poivre
- 550 g de filet de cabillaud en cubes
- 4 cuil. à soupe d'huile d'arachide
- 50 g de noix de cajou
- 1 petite botte de petits oignons blancs, épluchée et coupée finement en biais
- 1 piment rouge épépiné et haché
- 1 carotte épluchée et coupée en fines lanières
- 125 g de petits pois surgelés
- 450 g de riz cuit long grain
- 2 cuil. à soupe de sauce pimentée douce
- 2 cuil. à soupe de sauce de soja

1 Dans une assiette, mélangez la farine, la coriandre ciselée, le cumin, la coriandre en poudre, le sel et le poivre. Roulez les cubes de cabillaud dans le mélange. Placez-les sur une plaque, couvrez et laissez reposer au réfrigérateur 30 minutes.

2 Faites chauffer le wok, versez 2 cuillerées à soupe d'huile, faites griller les noix de cajou 1 minute. Égouttez-les et enlevez-les du wok dès qu'elles sont dorées. Réservez.

3 Rajoutez 1 cuillerée à soupe d'huile. Quand elle est très chaude, ajoutez le cabillaud, faites revenir 2 minutes. Aidez-vous d'une spatule pour faire dorer les morceaux de poisson de tous les côtés. Sortez-les du wok, mettez-les dans une assiette, couvrez et gardez au chaud.

4 Versez le reste de l'huile dans le wok. Faites-la bien chauffer et ajoutez les petits oignons blancs et le piment haché, puis la carotte et les petits pois. Faites sauter 2 minutes avant d'ajouter le riz, la sauce de piment, la sauce de soja et les noix de cajou. Remuez bien 3 minutes, Remettez alors les cubes de cabillaud, chauffez 1 minute et servez sans attendre.

Le bon truc

Lorsque vous faites griller les noix de cajou, faites bien attention car elles ont tendance à brûler très vite. Vous pouvez aussi les mettre sur la plaque du four recouverte d'une feuille de papier sulfurisée, à 180 °C (th. 5), 5 minutes jusqu'à ce qu'elles soient dorées et odorantes.

Sole au vin rouge

1

3

4

INGRÉDIENTS

Pour 4 personnes

4 cuil. à soupe d'huile d'arachide
125 g de lard de poitrine fumé en dés
175 g d'échalotes épluchées et hachées
225 g de petits champignons de Paris essuyés
1 cuil. à soupe de farine
2 cuil. à soupe de cognac
300 ml de vin rouge
1 bouquet garni
1 gousse d'ail épluchée et hachée
sel et poivre
8 filets de sole dépouillée, coupés en deux dans la longueur
feuilles de persil frais pour le décor

Pour accompagner
nouilles fraîches
pois mangetout

1 Faites chauffer un grand wok, ajoutez l'huile et faites revenir les lardons et les échalotes hachées 4 à 5 minutes à feu très vif, jusqu'à ce qu'ils soient dorés. Égouttez et réservez au chaud. Remplacez par les champignons. Faites sauter 2 minutes, égouttez et réservez.

2 Saupoudrez le wok de farine, remuez à feu moyen 30 secondes. Éloignez de la chaleur, remettez les lardons et les échalotes ainsi que le cognac. Remuez.

3 Versez le vin rouge, le bouquet garni, l'ail, le sel et le poivre. Remettez sur le feu, ramenez l'ébullition en tournant pour obtenir une préparation lisse. Laissez cuire 5 minutes, jusqu'à ce que la sauce ait épaissi.

4 Pendant ce temps, roulez les filets de sole, maintenez-les avec des pique-olive. Déposez les rouleaux avec précaution dans la sauce avec les champignons, salez et poivrez. Baissez la chaleur, couvrez et laissez cuire doucement, 8 à 10 minutes selon l'épaisseur des soles. Éliminez le bouquet garni, décorez de feuilles de persil et servez immédiatement avec des nouilles fraîches et des pois mangetout.

Le bon truc

Si vous voulez réaliser un plat plus économique, vous pouvez utiliser des filets de limande à la place des filets de sole.

Truites à la crème

1

INGRÉDIENTS

Pour 4 personnes

550 g de filets de truite coupés en tronçons
sel et poivre
2 cuil. à soupe de farine
1 cuil. à soupe d'aneth ciselé
huile d'arachide pour la friture

Pour la sauce à la crème
50 g de beurre
2 bottes de petits oignons blancs épluchés et coupés grossièrement
1 gousse d'ail épluchée et hachée finement
300 ml de vin blanc sec
150 ml de crème épaisse
3 tomates pelées, épépinées et coupées en rondelles
3 cuil. à soupe de basilic fraîchement ciselé pour le décor
purée de pommes de terre à la crème pour accompagner

2

3

1 Éliminez les arêtes des filets de truite. Lavez et égouttez sur du papier absorbant. Versez la farine dans une assiette, salez et poivrez, ajoutez l'aneth ciselé, puis roulez les morceaux de truite dans la farine assaisonnée.

2 Faites chauffer un grand wok, versez 2,5 cm d'huile dans le fond, faites-la bien chauffer et faites revenir le poisson en plusieurs fois 3 à 4 minutes, jusqu'à ce qu'il soit cuit. Égouttez sur du papier absorbant et réservez au chaud. Videz le wok et essuyez-le avec du papier absorbant.

3 Faites fondre 25 g de beurre dans le wok, faites revenir 2 minutes les petits oignons blancs et l'ail. Ajoutez le vin, amenez à ébullition et laissez bouillir pour réduire de moitié. Ajoutez la crème et les tomates, laissez cuire 1 minute, rectifiez l'assaisonnement.

4 Remettez les morceaux de truite dans la sauce, réchauffez quelques instants. Garnissez de feuilles de basilic et servez immédiatement avec une purée de pommes de terre à la crème.

Le bon truc

Avant de les couper en morceaux, mettez les filets de truite sur une planche, passez les doigts le long du poisson, de la queue vers la tête. Utilisez une pincette pour enlever les arêtes que vous y sentirez.

Fruits de mer épicés à la crème

1

2

3

INGRÉDIENTS — Pour 4 personnes

2 cuil. à soupe d'huile d'arachide
1 oignon épluché et haché
1 petit morceau (2,5 cm environ) de gingembre frais, épluché et râpé
225 g de pétoncles sans coquille
1 gousse d'ail épluchée et hachée
2 cuil. à café de cumin en poudre
1 cuil. à café de paprika
1 cuil. à café de graines de coriandre écrasées
3 cuil. à soupe de jus d'orange
2 cuil. à soupe de xérès
300 ml de court-bouillon
150 ml de crème fraîche épaisse
225 g de crevettes cuites décortiquées
225 g de moules sans coquilles
sel et poivre blanc
2 cuil. à soupe de coriandre fraîchement ciselée

1 Faites chauffer un grand wok, ajoutez l'huile et faites revenir l'oignon et le gingembre 2 minutes, à feu très vif, jusqu'à ce qu'ils soient dorés. Ajoutez les pétoncles, faites revenir 2 minutes, jusqu'à ce qu'ils soient juste cuits. Avec une cuillère en bois, mettez-les dans un bol et réservez au chaud à l'entrée du four.

2 Remplacez par l'ail, le cumin, le paprika et la coriandre écrasée, faites revenir 1 minute en remuant constamment. Délayez avec le jus de citron, le xérès et le court-bouillon, amenez à ébullition pour faire réduire de moitié et jusqu'à épaississement.

3 Ajoutez la crème et remettez les pétoncles avec leur jus dans le wok. Amenez à ébullition et laissez cuire 1 minute. Ajoutez les crevettes et les moules, réchauffez, assaisonnez de sel et de poivre. Saupoudrez de coriandre fraîche et servez immédiatement.

Le bon truc

Il est difficile de trouver des pétoncles frais, on les vend ordinairement surgelés. Dans ce cas, ils contiennent beaucoup d'eau. Vous devez les décongeler lentement, les presser et les éponger soigneusement entre plusieurs feuilles de papier absorbant, ce qui leur évitera de rétrécir à la cuisson.

Calamars et crevettes au riz safrané

1

2

3

INGRÉDIENTS Pour 4 personnes

2 cuil. à soupe d'huile d'arachide
1 gros oignon épluché et coupé en rondelles
2 gousses d'ail épluchées et hachées
450 g de tomates pelées, épépinées et coupées en morceaux
225 g de riz long grain
¼ cuil. à café de safran en filaments
600 ml de court-bouillon
225 g de filets de poisson ferme (cabillaud, lotte)
225 g de calamars nettoyés
225 g de moules dans leur coquille
75 g de petits pois surgelés ou en boîte
225 g de crevettes décortiquées
sel et poivre

Pour le décor
8 grandes crevettes entières cuites
quartiers de citron

1 Faites chauffer un grand wok, ajoutez l'huile et faites sauter l'oignon et l'ail 3 minutes à feu très vif. Ajoutez les tomates et continuez la cuisson 1 minute avant de verser le riz, le safran et le court-bouillon. Amenez à ébullition, salez, réduisez la chaleur et couvrez. Laissez cuire 10 minutes en remuant de temps à autre.

2 Pendant ce temps, enlevez la peau des filets de poisson, rincez-les légèrement et coupez-les en cubes. Lavez et essuyez le calamar dans du papier absorbant, coupez-le en rondelles et réservez. Brossez les moules, jetez celles qui ne s'ouvrent pas. Couvrez-les d'eau froide et réservez.

3 Ajoutez les petits pois dans le wok ainsi que le poisson, ramenez l'ébullition, couvrez et laissez cuire à petit bouillon 5 à 10 minutes, jusqu'à ce que le riz soit cuit et que le liquide ait presque disparu.

4 Enlevez le couvercle, ajoutez les rondelles de calamar, les moules égouttées et les crevettes décortiquées. Couvrez de nouveau et faites cuire 5 minutes jusqu'à ce que les moules soient ouvertes. Jetez celles qui ne se sont pas ouvertes. Goûtez et rectifiez l'assaisonnement. Décorez des 8 crevettes entières et de quartiers de citron, servez immédiatement.

Le bon truc

Pour éplucher facilement les tomates, faites une croix sur leur sommet avec un couteau pointu, puis plongez-les 2 minutes dans de l'eau bouillante.

Tempura

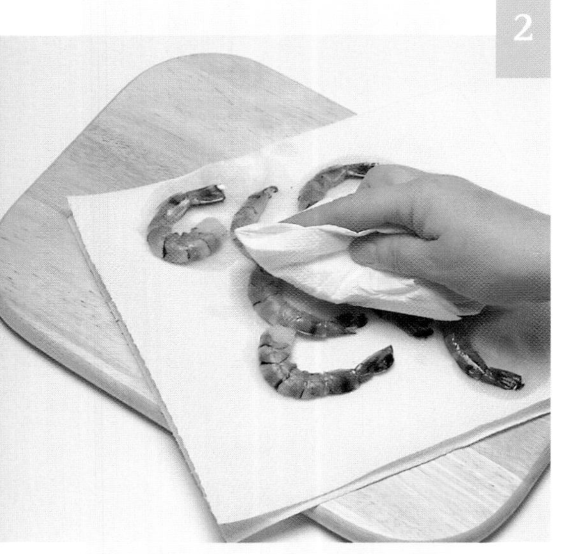

INGRÉDIENTS — Pour 4 personnes

Pour la pâte
200 g de farine
1 pincée de bicarbonate de soude
1 jaune d'œuf

Pour les crevettes aux légumes
8 à 12 crevettes
1 carotte épluchée
125 g de petits champignons de Paris essuyés
1 poivron vert épépiné
1 petite aubergine lavée
1 oignon épluché
125 g de haricots verts
125 ml d'huile de sésame
300 ml d'huile végétale pour friture

Pour accompagner
sauce de soja
sauce pimentée

1 Tamisez la farine et le bicarbonate de soude dans un saladier. Mélangez au fouet 450 ml d'eau et le jaune d'œuf, puis délayez peu à peu la farine dans ce mélange jusqu'à obtention d'une pâte lisse.

2 Décortiquez les crevettes en laissant la queue, enlevez la veine noire, puis lavez-les rapidement et séchez-les dans du papier absorbant. Coupez finement la carotte. Coupez les champignons en deux, le poivron en cubes et l'oignon en quartiers. Équeutez les haricots.

3 Versez l'huile végétale et l'huile de sésame dans un grand wok. Faites chauffer à 190 °C, jusqu'à ce qu'une cuillerée à café de pâte dore en 30 secondes.

4 Trempez les crevettes et les légumes dans la pâte jusqu'à ce qu'ils soient bien enrobés et faites frire (pas plus de 8 pièces à la fois) 3 minutes en les retournant de temps à autre. Quand ils sont bien dorés, enlevez-les à l'écumoire et égouttez les beignets sur du papier absorbant. Réservez au chaud. Répétez l'opération avec tous les ingrédients. Servez très chaud avec de la sauce de soja et de la sauce pimentée, présentées séparément.

Un peu d'info

Le bicarbonate de soude, associé à la farine, aide à faire gonfler la pâte dans le bain de friture et à la maintenir ensuite croustillante.

Boulettes de viande aux haricots rouges et à la sauce tomate

1

2

4

INGRÉDIENTS — Pour 4 personnes

- 1 gros oignon épluché et haché finement
- 1 piment rouge épépiné et haché
- 1 cuil. à soupe d'origan ou de marjolaine
- ½ cuil. à café de paprika fort
- 425 g de haricots rouges en conserve, égouttés
- 300 g de beefsteak haché
- sel et poivre
- 4 cuil. à soupe d'huile de tournesol
- 1 gousse d'ail épluchée et écrasée
- 400 g de tomates en boîte, pelées et coupées en morceaux
- 1 cuil. à soupe de coriandre fraîche ciselée pour le décor
- riz long grain pour accompagner

1 Pour les boulettes, mélangez dans le bol du robot la moitié des oignons, la moitié du poivron rouge, l'origan, la moitié du paprika et 350 g de haricots rouges. Mixez quelques secondes. Ajoutez la viande hachée, le sel et le poivre, puis mixez de nouveau, jusqu'à ce que les ingrédients soient intimement mélangés. Versez la préparation sur une planche légèrement farinée, formez des petites boules.

2 Faites chauffer le wok, ajoutez 2 cuillerées d'huile, faites-la bien chauffer et faites revenir les boulettes (pas plus de 7 ou 8 à la fois) jusqu'à ce qu'elles soient dorées de tous côtés. Égouttez et réservez au chaud.

3 Essuyez le wok, ajoutez le reste de l'huile et faites revenir le reste d'oignon, de poivron rouge 3 à 4 minutes à feu très vif, jusqu'à ce qu'ils soient tendres. Ajoutez l'ail puis, 1 minute après, les tomates, le reste du paprika, salez et poivrez. Faites revenir encore 2 minutes, ajoutez le reste des haricots rouges.

4 Remettez les boulettes dans le wok, mélangez bien pour les intégrer à la sauce. Couvrez et laissez cuire 10 minutes. Saupoudrez de coriandre fraîche ciselée et servez immédiatement avec du riz.

Un peu d'info

C'est le paprika qui donne à ce plat son goût spécifique et sa couleur. Réalisé avec du poivron rouge séché, le paprika peut être plus ou moins fort. Il provient de Hongrie ou d'Espagne, deux pays dans lesquels il est largement utilisé.

Porc frit à la sauce aigre-douce

1

2

4

INGRÉDIENTS — Pour 4 personnes

350 g de porc dans le filet
1 cuil. à soupe de sauce de soja claire
1 cuil. à soupe de xérès sec
sel et poivre
1 cuil. à soupe de vinaigre de xérès
1 cuil. à soupe de concentré de tomate
1 cuil. à soupe de sauce de soja foncée
2 cuil. à café de sucre de canne
150 ml de bouillon de volaille
1 ½ cuil. à café de miel liquide
8 cuil. à soupe de Maïzena
450 ml d'huile d'arachide pour la friture
1 œuf

Pour le décor
feuilles d'aneth
quartiers d'orange

1 Dégraissez et parez la viande de porc et coupez-la en cubes de 2 cm de côté. Réservez dans une assiette creuse. Mélangez la sauce de soja claire et le xérès, assaisonnez. Versez sur la viande, mélangez bien pour l'enrober de marinade. Couvrez et laissez reposer au réfrigérateur 30 minutes au moins, en remuant de temps à autre.

2 Pendant ce temps, mélangez le vinaigre, le concentré de tomate, la sauce de soja foncée, le sucre, le bouillon et le miel dans une petite casserole. Réchauffez doucement en remuant, jusqu'à ce que le sucre soit fondu. Amenez à ébullition.

3 Délayez 1 cuillerée à soupe de Maïzena avec 1 cuillerée à soupe d'eau, versez dans la sauce. Laissez-la cuire jusqu'à ce qu'elle soit lisse et épaissie. Réservez au chaud.

4 Faites chauffer l'huile à 190 °C dans un grand wok, jusqu'à ce qu'un petit cube de pain dore en 30 secondes. Battre le reste de la Maïzena avec l'œuf pour obtenir une pâte lisse. Égouttez les cubes de porc, trempez-les dans la pâte et faites-les frire dans l'huile chaude 2 à 3 minutes (pas plus de 8 morceaux à la fois), jusqu'à ce qu'ils soient dorés et tendres. Égouttez sur du papier absorbant. Garnissez avec l'aneth et servez immédiatement avec la sauce.

Le bon truc

Pour épaissir la sauce, délayez 1 cuillerée à soupe de Maïzena avec un peu d'eau froide jusqu'à ce qu'elle soit lisse et ajoutez-la à la sauce. Amenez à ébullition et laissez cuire quelques instants.

Fajitas au bœuf, sauce à l'avocat

1

2

4

INGRÉDIENTS

Pour 3 à 6 personnes

- 2 cuil. à soupe d'huile de tournesol
- 450 g de filet ou de rumsteck, dégraissé et coupé en fines languettes
- 2 gousses d'ail épluchées et écrasées
- 1 cuil. à café de cumin en poudre
- ¼ cuil. à café de poivre de Cayenne
- 1 cuil. à soupe de paprika
- 230 g de tomates coupées en morceaux
- 215 g de haricots rouges en conserve, égouttés
- 1 cuil. à soupe de coriandre ciselée
- 1 avocat dénoyauté, épluché et coupé en petits cubes
- 1 échalote épluchée et hachée
- 1 grosse tomate pelée, épépinée et coupée en morceaux
- 1 piment rouge en dés
- 1 cuil. à soupe de jus de citron
- 6 grandes *tortillas* (dans les magasins de produits exotiques)
- 3 à 4 cuil. à soupe de crème fraîche liquide
- salade verte pour accompagner

1 Faites chauffer le wok, ajoutez l'huile et faites revenir la viande 3 à 4 minutes à feu très vif. Ajoutez l'ail et les épices et faites cuire encore 2 minutes. Ajoutez les tomates en conserve, amenez à ébullition, couvrez et laissez cuire 5 minutes.

2 Pendant ce temps, hachez grossièrement les haricots au robot, ajoutez-les dans le wok. Laissez cuire 5 minutes, en ajoutant 2 à 3 cuillerées à soupe d'eau. La préparation doit être suffisamment épaisse et assez sèche. Ajoutez la coriandre ciselée.

3 Mélangez avocat, échalote, tomate, piment et jus de citron. Versez dans un bol de service et réservez.

4 Quand la préparation est prête, chauffez les *tortillas*, tartinez-les d'un peu de crème fraîche liquide. Déposez 1 cuillerée de viande de bœuf aux tomates au milieu, puis 1 cuillerée de sauce à l'avocat, jusqu'à ce que les ingrédients soient épuisés. Roulez les *tortillas* autour de la farce. Servez sans attendre avec une salade verte.

Le bon truc

Il ne faut pas faire la sauce à l'avocat trop longtemps à l'avance, car ce fruit a tendance à se décolorer à l'air. Si nécessaire, on peut cependant frotter la surface de l'avocat au jus de citron avant de le couper, et entourer le bol contenant la sauce d'un film alimentaire.

Porc des Caraïbes

INGRÉDIENTS — Pour 4 personnes

450 g de filet de porc
1 petit morceau (2,5 cm environ) de gingembre frais, épluché et râpé
½ cuil. à café de piment sec
2 gousses d'ail épluchées et écrasées
2 cuil. à soupe de persil ciselé
150 ml de jus d'orange
2 cuil. à soupe de sauce de soja foncée
2 cuil. à soupe d'huile d'arachide
1 gros oignon épluché et coupé en rondelles
1 grosse courgette coupée en bâtonnets
1 poivron orange épépiné et coupé en bâtonnets
1 mangue mûre mais ferme, épluchée et dénoyautée
riz blanc pour accompagner

1 Coupez le filet de porc en languettes et mettez-les dans un plat creux. Ajoutez le gingembre, le piment, l'ail et 1 cuillerée à soupe de persil. Mélangez le jus d'orange, la sauce de soja et 1 cuillerée à soupe d'huile. Versez sur la viande, couvrez et faites mariner au réfrigérateur 30 minutes en remuant de temps à autre. Retirez à l'écumoire et réservez la marinade.

2 Faites chauffer le wok, versez l'huile restante et faites sauter le porc 3 à 4 minutes. Ajoutez les rondelles d'oignons et les bâtonnets de courgette et de poivron. Faites sauter encore 2 minutes. Versez la marinade, laissez cuire 2 minutes.

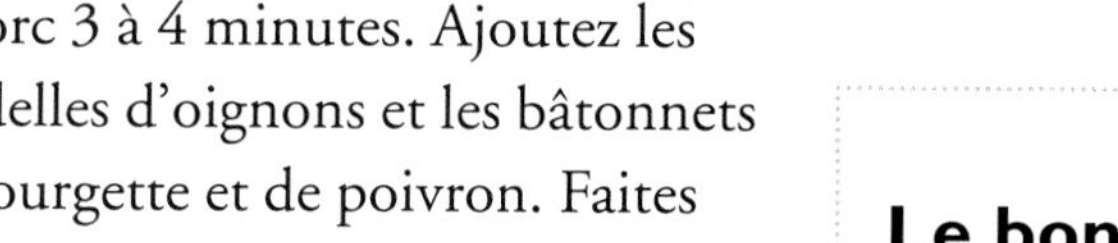

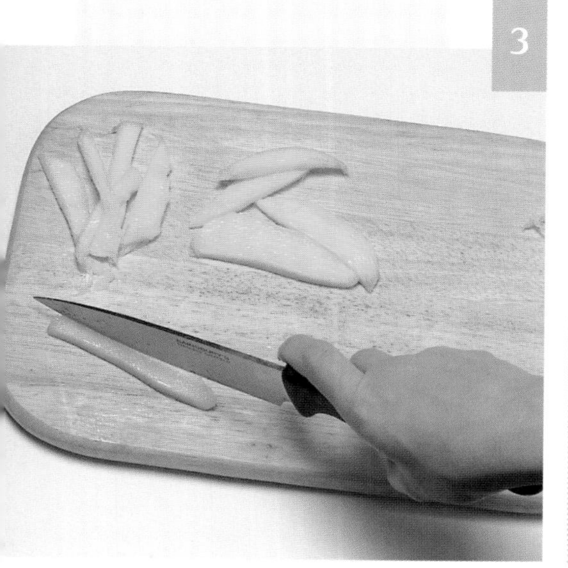

3 Coupez la chair de la mangue en languettes et ajoutez-la à la préparation chaude. Faites réchauffer. Garnissez avec le reste de persil et servez immédiatement avec du riz fraîchement cuit.

Le bon truc

Le filet de porc et le filet mignon sont des morceaux extrêmement tendres, sans os. Mais ils peuvent avoir quelques membranes, tendons ou nerfs qu'il faut éliminer au moment de la découpe.

Risotto aux lardons et aux saucisses

2

3

4

INGRÉDIENTS Pour 4 personnes

225 g de riz long grain
1 cuil. à soupe d'huile d'olive
25 g de beurre
175 g de saucisses-cocktail
1 échalote épluchée et hachée finement
75 g de lardons
150 g de chorizo, ou autre saucisse épicée, coupé en tronçons
1 poivron vert épépiné et coupé en languettes
1 boîte (197 g) de maïs doux égoutté
2 cuil. à soupe de persil ciselé
50 g de mozzarella en tranches fines

1 Versez le riz en pluie dans une grande casserole d'eau bouillante salée et faites-le cuire 15 minutes ou en suivant les indications du paquet. Égouttez, rincez à l'eau froide, égouttez encore et laissez refroidir complètement.

2 Pendant ce temps, faites chauffer le wok, ajoutez l'huile et faites fondre le beurre. Faites revenir les saucisses à cocktail sans cesser de les retourner. Égouttez-les, coupez-les en deux et réservez au chaud.

3 Mettez l'échalote hachée et les lardons dans le wok et faites revenir 2 à 3 minutes, jusqu'à ce qu'ils soient dorés. Ajoutez le chorizo ou la saucisse épicée et le poivron vert, faites revenir 3 minutes.

4 Mettez le riz froid et le maïs, faites revenir encore 2 minutes avant d'ajouter les saucisses-cocktail. Réchauffez le tout. Décorez de persil ciselé et servez immédiatement avec un bol de mozzarella en tranches.

Le bon truc

On peut acheter les lardons tout découpés ou les découper soi-même dans une tranche de lard de poitrine épaisse. Coupez la tranche en deux dans l'épaisseur, puis en dés de 1 cm.

Porc sauté à la sauce de haricots jaunes

1

2

3

INGRÉDIENTS Pour 4 personnes

450 g de filet de porc
2 cuil. à soupe de sauce de soja claire
2 cuil. à soupe de jus d'orange
1 cuil. à café de Maïzena
3 cuil. à soupe d'huile d'arachide
2 gousses d'ail épluchées et écrasées
175 g de carottes épluchées et coupées en fines lanières
125 g de haricots verts très fins équeutés
2 petits oignons blancs épluchés et coupés dans la longueur
4 cuil. à soupe de sauce aux haricots jaunes
1 cuil. à soupe de feuilles de persil plat pour le décor
pâtes aux œufs plates cuites pour accompagner

1 Dégraissez le filet de porc et coupez-le en languettes. Délayez la Maïzena dans la sauce de soja et le jus d'orange. Mélangez bien. Mettez la viande dans une assiette creuse, versez la préparation sur la viande, remuez pour bien enrober, couvrez et laissez mariner au réfrigérateur 1 heure. Égouttez, réservez la marinade.

2 Faites chauffer le wok, ajoutez 2 cuillerées à soupe d'huile, faites-la bien chauffer et saisissez les tranches de viande avec l'ail pendant 2 minutes. Égouttez à l'écumoire et réservez.

3 Ajoutez le reste de l'huile dans le wok, faites revenir 3 minutes les carottes, les haricots et les petits oignons blancs, jusqu'à ce que les légumes soient cuits mais encore fermes. Remettez le porc dans le wok ainsi que la marinade, et enfin, la sauce de haricots jaunes. Laissez cuire encore 2 à 3 minutes jusqu'à ce que le porc soit bien cuit. Saupoudrez de persil ciselé et servez immédiatement avec des pâtes chinoises aux œufs.

Un peu d'info

La sauce aux haricots jaunes est l'une des nombreuses spécialités chinoises vendues toutes prêtes dans les magasins de produits asiatiques. On peut la remplacer par de la sauce aux haricots noirs.

Agneau, sauce aux cerises

1

2

3

INGRÉDIENTS — Pour 4 personnes

550 g d'agneau (gigot ou filet)
2 cuil. à soupe de sauce de soja claire
1 cuil. à café de poudre cinq-épices
4 cuil. à soupe de jus d'orange frais
175 g de confiture de cerises
150 ml de vin rouge
50 g de cerises fraîches
1 cuil. à soupe d'huile d'arachide
1 cuil. à soupe de coriandre fraîche ciselée pour le décor

Pour accompagner
petits pois
nouilles cuites

1 Dégraissez et enlevez la peau de la viande d'agneau. Coupez en tranches fines. Mettez dans une assiette creuse. Mélangez la sauce de soja, la poudre de cinq-épices et le jus d'orange, versez sur la viande. Couvrez et laissez mariner au réfrigérateur 30 minutes au moins.

2 Pendant ce temps, mélangez la confiture et le vin rouge dans une petite casserole, amenez à ébullition, baissez le feu et laissez cuire doucement 10 minutes jusqu'à ce que la sauce ait épaissi. Dénoyautez les cerises (en utilisant, si possible, un ustensile spécial qui les garde entières).

3 Égouttez l'agneau. Faites chauffer le wok, ajoutez l'huile et, quand elle est bien chaude, faites frire les tranches de viande 3 à 5 minutes, selon que vous préférez l'agneau rosé ou plus cuit.

4 Mettez la viande dans un plat de service chauffé, versez un peu de sauce en surface. Garnissez avec la coriandre fraîche ciselée et les cerises entières. Servez sans attendre avec des petits pois, des nouilles et le reste de la sauce, à part.

Le bon truc

On peut proposer cette préparation en dehors de la saison des cerises, en utilisant des fruits en conserve ou en bocal dans leur jus. Égouttez-les à fond avant de les servir.

Porc au miel, aux nouilles de riz et aux noix de cajou

2

3

4

INGRÉDIENTS — Pour 4 personnes

125 g de nouilles de riz
450 g de filet de porc
2 cuil. à soupe d'huile d'arachide
1 cuil. à soupe de beurre mou
1 oignon épluché et coupé finement en rondelles
2 gousses d'ail épluchées et écrasées
125 g de petits champignons de Paris
3 cuil. à soupe de sauce de soja claire
3 cuil. à soupe de miel liquide
50 g de noix de cajou non salées
1 piment rouge épépiné et haché finement
4 petits oignons blancs épluchés et coupés en lanières
légumes sautés pour accompagner

1 Versez les nouilles de riz dans de l'eau bouillante, laissez cuire 4 minutes ou selon les indications du sachet. Égouttez et réservez.

2 Coupez le filet de porc en languettes. Faites chauffer le wok, versez l'huile et le beurre et faites revenir le porc 4 à 5 minutes, jusqu'à ce qu'il soit cuit. Enlevez à l'écumoire et réservez au chaud.

3 Ajoutez l'oignon dans le wok et laissez cuire en remuant 2 minutes, puis ajoutez l'ail et les champignons, et laissez cuire encore 2 minutes, jusqu'à ce que les champignons commencent à rendre leur jus.

4 Mélangez la sauce de soja et le miel, remettez le porc dans le wok et versez ce mélange sur la viande. Ajoutez les noix de cajou, laissez cuire encore 1 à 2 minutes, puis ajoutez les nouilles petit à petit. Mélangez jusqu'à ce que tous les ingrédients soient très chauds. Saupoudrez de piment haché et de petits oignons blancs coupés en lanières. Servez immédiatement avec des légumes sautés.

Une question de goût

Pour les légumes, faites chauffer le wok. Quand une cuillerée à soupe d'huile est chaude, ajoutez 1 gousse d'ail hachée et une petite racine de gingembre râpée ; puis un poivron rouge, un vert et un jaune, coupés en languettes, des pois mangetout et des petits oignons blancs en fines lanières. Faites sauter 3 minutes et servez très chaud avec le porc.

Porc à l'aigre-doux

1

3

4

INGRÉDIENTS — Pour 4 personnes

- 450 g de filet de porc
- 1 blanc d'œuf
- 4 cuil. à café de Maïzena
- sel et poivre
- 300 ml d'huile d'arachide
- 1 petit oignon épluché et coupé finement
- 125 g de carottes épluchées et coupées en fines lanières
- 1 petit morceau (2,5 cm environ) de gingembre épluché et râpé
- 150 ml de jus d'orange
- 150 ml de bouillon de volaille
- 1 cuil. à soupe de sauce de soja claire
- 220 g d'ananas en conserve, égoutté, en morceaux
- 1 cuil. à soupe de vinaigre de vin blanc
- 1 cuil. à soupe de persil fraîchement ciselé
- riz long grain cuit pour accompagner

1 Dégraissez le porc et coupez-le en petits cubes. Dans un petit saladier, battez le blanc d'œuf et la Maïzena avec le sel et le poivre. Ajoutez le porc et remuez bien pour que tous les morceaux de viande soient uniformément enrobés de la préparation au blanc d'œuf.

2 Faites chauffer le wok, ajoutez l'huile et, quand elle est bien chaude, ajoutez les cubes de porc. Remuez 30 secondes. Éloignez de la source de chaleur et continuez à remuer 3 minutes. Égouttez à l'écumoire la viande qui doit être blanche et saisie. Versez l'huile dans un petit bol, essuyez le wok au papier absorbant.

3 Réchauffez le wok, remettez 2 cuillerées à café d'huile d'arachide utilisée pour saisir le porc et faites-la bien chauffer. Faites revenir l'oignon, les carottes et le gingembre 2 à 3 minutes. Mélangez le jus d'orange, le bouillon de volaille et la sauce de soja. Ajoutez du jus d'ananas en conserve pour obtenir 300 ml de liquide.

4 Remettez-le dans le wok avec le porc. Laissez cuire 3 à 4 minutes. Ajoutez les ananas et le vinaigre. Réchauffez le tout, saupoudrez de persil ciselé et servez immédiatement avec le riz cuit.

Une question de goût

On peut remplacer l'ananas par une grosse orange pelée à cru et coupée en morceaux.

Chili d'agneau pimenté

INGRÉDIENTS — Pour 4 personnes

550 g de filet d'agneau
3 cuil. à soupe d'huile d'arachide
1 gros oignon épluché et coupé finement
2 gousses d'ail épluchées et écrasées
4 cuil. à café de Maïzena
4 cuil. à soupe de sauce au piment
2 cuil. à soupe de vinaigre de vin blanc
4 cuil. à café de sucre roux
1 cuil. à café de poudre cinq-épices
feuilles de coriandre fraîche pour le décor

Pour accompagner
nouilles chinoises cuites
4 cuil. à soupe de yoghourt à la grecque

1 Dégraissez le filet d'agneau et coupez-le en fines languettes. Faites chauffer le wok, mettez 2 cuillerées d'huile d'arachide et, quand elle est bien chaude, faites revenir les languettes d'agneau 3 à 4 minutes, jusqu'à ce qu'elles soient bien dorées. Videz le contenu du wok dans un petit saladier et réservez.

2 Ajoutez le reste de l'huile dans le wok chaud, faites revenir l'oignon et l'ail 2 minutes jusqu'à ce qu'ils soient tendres. Versez dans le saladier qui contient l'agneau.

3 Délayez la Maïzena avec 125 ml d'eau, ajoutez la sauce au piment, le vinaigre, le sucre et la poudre cinq-épices. Versez le mélange dans le wok, amenez rapidement à ébullition. Laissez cuire 30 secondes jusqu'à ce que la sauce épaississe.

4 Remettez le contenu du saladier dans le wok, mélangez bien et réchauffez le tout. Décorez de feuilles de coriandre fraîche et servez immédiatement avec des nouilles chinoises cuites, surmontées d'une cuillerée de yoghourt.

Une question de goût

Il est préférable d'utiliser ici de la sauce au piment en bocal plutôt que du Tabasco, au goût plus ardent. La sauce au piment est cependant très forte, n'hésitez pas à goûter pour ajuster la quantité à votre goût personnel.

Agneau aux épices, sauce yoghourt

INGRÉDIENTS — Pour 4 personnes

1 cuil. à café de piment en poudre
1 cuil. à café de cannelle en poudre
1 cuil. à café de curry fort
1 cuil. à café de cumin en poudre
sel et poivre
3 cuil. à soupe d'huile d'arachide
450 g de filet d'agneau
4 graines de cardamome écrasées
4 clous de girofle
1 oignon épluché et coupé en rondelles
2 gousses d'ail épluchées et écrasées
1 petit morceau (2,5 cm environ) de gingembre épluché et râpé
150 ml de yoghourt à la grecque
1 cuil. à soupe de coriandre fraîche ciselée
2 petits oignons blancs épluchés et coupés finement

Pour accompagner
riz blanc cuit
pain *nan*

1 Mélangez les poudres de piment, de cannelle, de cumin, le sel et le poivre avec 2 cuillerées à soupe d'huile dans un petit saladier. Réservez. Coupez le filet d'agneau en languettes, ajoutez dans le saladier et remuez pour que la viande soit uniformément enrobée. Couvrez et laissez mariner au réfrigérateur au moins 30 minutes.

2 Faites chauffer le wok, versez le reste de l'huile et, quand elle est bien chaude, mettez les graines de cardamome et les clous de girofle. Faites sauter 10 secondes. Ajoutez l'oignon, l'ail et le gingembre, faites revenir 3 à 4 minutes jusqu'à ce qu'ils deviennent tendres.

3 Mettez l'agneau et la marinade, faites revenir 3 minutes, la viande doit être cuite. Ajoutez le yoghourt, mélangez bien. Saupoudrez de coriandre ciselée et de petit oignon blanc coupé finement. Servez immédiatement avec le riz blanc et du pain *nan*.

Le bon truc

Les épices en poudre s'éventent plus vite que les autres, il faut donc les acheter en petites quantités ou se les procurer entières et les moudre au fur et à mesure de vos besoins, dans un petit moulin à épices ou un moulin à café.

Porc, sauce cacahuètes

1

3

4

INGRÉDIENTS Pour 4 personnes

450 g de filet de porc
2 cuil. à soupe de sauce de soja claire
1 cuil. à soupe de vinaigre
1 cuil. à café de sucre
1 cuil. à café de poudre cinq-épices
2 à 4 gousses d'ail épluchées et écrasées
2 cuil. à soupe d'huile d'arachide
1 gros oignon épluché et coupé finement
125 g de carottes épluchées et coupées en fines lanières
2 branches de céleri épluchées et coupées finement
125 g de haricots verts équeutés et coupés en deux
3 cuil. à soupe de beurre de cacahuète
1 cuil. à soupe de feuilles de persil fraîchement hachées

Pour accompagner
riz basmati et riz sauvage cuits
salade verte

1 Dégraissez le filet de porc, détaillez-le en fines languettes et réservez. Mélangez la sauce de soja, le vinaigre, le sucre, la poudre cinq-épices et l'ail dans un saladier. Mettez le porc dans la marinade, couvrez et laissez au réfrigérateur 30 minutes au moins.

2 Égouttez le porc, réservez la marinade. Faites chauffer le wok, ajoutez l'huile et, quand elle est bien chaude, faites revenir le porc 3 à 4 minutes : il doit être bien saisi.

3 Ajoutez l'oignon, la carotte, le céleri et les haricots dans le wok, faites sauter 4 à 5 minutes pour que la viande soit tendre et les légumes « tombés ».

4 Délayez le beurre de cacahuète dans la marinade avec 2 cuillerées à soupe d'eau chaude. Quand la sauce est bien lisse, versez dans le wok et laissez cuire quelques minutes jusqu'à ce qu'elle ait épaissi et que le porc soit très chaud. Saupoudrez de persil ciselé et servez immédiatement avec le riz basmati et le riz sauvage et une salade verte.

Une question de goût

On peut servir ce plat en apéritif, en le laissant refroidir pour en farcir de jeunes feuilles de salade bien craquantes avec 1 cuillerée de préparation.

Bœuf sauté au vermouth

4

INGRÉDIENTS — Pour 4 personnes

350 g de beefsteak dans le rumsteck ou la culotte
2 cuil. à soupe de farine
sel et poivre
3 cuil. à soupe d'huile de tournesol
2 échalotes épluchées et hachées finement
125 g de petits champignons de Paris essuyés et coupés en deux
2 cuil. à soupe d'estragon fraîchement ciselé
3 cuil. à soupe de vermouth (Noilly Prat, Martini)
150 ml de crème légère
125 g de nouilles chinoises
2 cuil. à café d'huile de sésame

1 Dégraissez le bœuf et coupez-le en languettes. Tamisez la farine avec le sel et le poivre dans un saladier. Roulez les languettes de bœuf jusqu'à ce qu'elles soient bien enrobées de farine. Retirez la viande et réservez.

2 Faites chauffer le wok, ajoutez l'huile, laissez-la bien chauffer et faites revenir les échalotes 2 minutes. Ajoutez les languettes de viande, faites sauter 3 à 4 minutes avant d'ajouter les champignons et 1 cuillerée à soupe d'estragon ciselé. Faites revenir 1 minute.

3 Versez le vermouth sans cesser de remuer, puis ajoutez la crème. Laissez cuire 2 à 3 minutes jusqu'à ce que la sauce soit légèrement épaissie et la viande cuite à cœur. Rectifiez l'assaisonnement, videz dans un plat chauffé et réservez au chaud.

4 Mettez les nouilles dans une casserole en les couvrant d'eau bouillante. Laissez 4 minutes à couvert puis égouttez-les à fond et mettez-les dans le wok. Ajoutez l'huile de sésame et faites-les revenir 1 à 2 minutes, jusqu'à ce qu'elles soient bien chaudes et mélangées à l'huile. Servez immédiatement dans des assiettes individuelles avec le bœuf sauté par-dessus.

Un peu d'info

Comme l'absinthe, le vermouth est un apéritif sec à base d'armoise (plante aromatique), dont le nom est peut-être dérivé du mot *wormwood*, qui désigne l'armoise en anglais.

Porc aux petits légumes et à la sauce de piment doux

1

2

3

INGRÉDIENTS — Pour 4 personnes

450 g de filet de porc
2 cuil. à soupe d'huile de tournesol
2 gousses d'ail épluchées et écrasées
1 petit morceau (2,5 cm environ) de gingembre épluché et râpé
125 g de carottes épluchées et coupées en bâtonnets
4 petits oignons blancs épluchés
125 g de jeunes petits pois dans leur cosse
125 g de mini-épis de maïs
2 cuil. à soupe de sauce de piment doux
2 cuil. à soupe de sauce de soja claire
1 cuil. à soupe de vinaigre
½ cuil. à café de sucre
125 g de germes de soja
le zeste râpé d'une orange non traitée
riz blanc cuit pour accompagner

1 Dégraissez le porc et détaillez-le en fines languettes. Réservez. Faites chauffer le wok, mettez l'huile et, quand elle est bien chaude, ajoutez l'ail et le gingembre, faites revenir 30 secondes. Ajoutez les carottes et continuez à faire sauter en remuant 1 à 2 minutes jusqu'à ce qu'elles soient tendres.

2 Hachez finement les petits oignons blancs dans la longueur, puis en trois tronçons. Équeutez les petits pois et les mini-maïs. Ajoutez les petits oignons blancs, les pois et les maïs dans le wok, faites revenir 30 secondes.

3 Mettez la viande et continuez de faire sauter 2 à 3 minutes, jusqu'à ce qu'elle soit bien cuite et uniformément dorée. Mélangez la sauce de piment doux, la sauce de soja, le vinaigre et le sucre, versez dans le wok avec les germes de soja.

4 Continuez la cuisson en remuant jusqu'à ce que les légumes soient cuits mais encore croquants. Saupoudrez de zeste d'orange râpé et servez immédiatement avec du riz blanc cuit.

Une question de goût

On peut penser que la sauce de piment doux n'est pas très forte ; cependant, il vaut mieux goûter avant de l'ajouter à la préparation, pour adapter la quantité à son goût personnel.

Bœuf au paprika

1

INGRÉDIENTS

Pour 4 personnes

700 g de rumsteck
3 cuil. à soupe de farine
sel et poivre
1 cuil. à soupe de paprika
350 g de riz long grain
75 g de beurre
1 cuil. à soupe d'huile
1 oignon épluché et coupé en fines rondelles
225 g de petits champignons de Paris essuyés et coupés finement
1 cuil. à soupe de xérès sec
150 ml de crème fraîche liquide
2 cuil. à soupe de ciboulette ciselée
ciboulette en bouquet pour le décor

2

4

1 Battez le steak au marteau à viande pour le rendre très fin, parez, dégraissez et coupez-le en fines languettes. Mélangez la farine, le poivre, le sel et le paprika dans un petit saladier, puis roulez la viande dans ce mélange pour qu'elle soit bien enrobée.

2 Mettez le riz dans une casserole couverte d'eau bouillante salée, laissez cuire 15 minutes ou selon les indications inscrites sur le sachet. Égouttez, remettez dans la casserole avec 25 g de beurre, couvrez et réservez.

3 Faites chauffer le wok, versez l'huile et 25 g de beurre et faites revenir la viande 3 à 5 minutes à feu très vif. Il faut qu'elle soit saisie. Retirez-le du wok à l'écumoire. Ajoutez le reste du beurre, faites sauter les rondelles d'oignon et les champignons 3 à 4 minutes.

4 Ajoutez le xérès dans le wok très chaud, puis réduisez la chaleur. Remettez la viande dans le wok ainsi que la crème fraîche liquide et rectifiez l'assaisonnement. Quand tout est bien réchauffé, saupoudrez de ciboulette ciselée et servez immédiatement avec du riz.

Une question de goût

En saison, vous pouvez remplacer les champignons de Paris par des champignons des bois. Les girolles sont très appréciées avec le bœuf, de même que les cèpes.

Riz sauté au bœuf pimenté

2

3

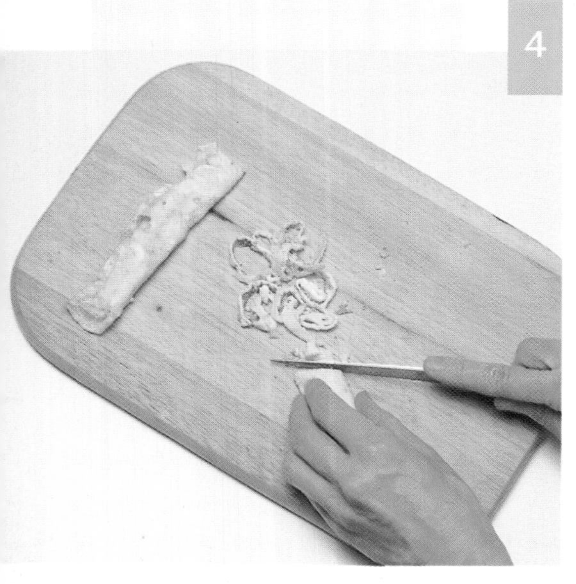
4

INGRÉDIENTS

Pour 4 personnes

- 225 g de filet de bœuf
- 375 g de riz long grain
- 4 cuil. à soupe d'huile d'arachide
- 3 oignons épluchés et coupés finement
- 2 piments rouges épépinés et hachés finement
- 2 cuil. à soupe de sauce de soja claire
- 2 cuil. à soupe de concentré de tomate
- sel et poivre
- 2 cuil. à soupe de lait
- 2 cuil. à soupe de farine
- 15 g de beurre
- 2 œufs

1 Dégraissez le filet de bœuf si nécessaire. Coupez-le en fines languettes et réservez. Faites cuire le riz dans de l'eau bouillante salée 15 minutes ou selon les indications du sachet. Égouttez et réservez.

2 Faites chauffer le wok, ajoutez 3 cuillerées à soupe d'huile et, quand elle est bien chaude, faites revenir deux des oignons 2 à 3 minutes. Ajoutez le bœuf et les piments, faites sauter 2 à 3 minutes, jusqu'à ce que la viande soit saisie et les oignons bien tendres.

3 Ajoutez le riz au wok avec la sauce de soja et le concentré de tomate. Faites sauter 1 à 2 minutes jusqu'à ce que tout soit bien chaud. Rectifiez l'assaisonnement et réservez au chaud. Plongez les rondelles du dernier oignon dans le lait, puis dans la farine et faites-les frire dans une petite poêle, avec la dernière cuillerée d'huile, jusqu'à ce qu'elles soient bien croustillantes.

4 Faites fondre le beurre dans une petite poêle. Battez les œufs avec 2 cuillerées à soupe d'eau, versez dans la poêle et faites-les cuire en remuant souvent. Faites glisser l'omelette sur la planche à découper et coupez-la en lanières. Ajoutez-les au riz sauté, répartissez les oignons frits et servez immédiatement.

Le bon truc

Choisir les piments est une question de goût. La règle d'or est que plus le piment est petit, plus il est fort. Le minuscule piment thaï est extrêmement fort et doit être utilisé avec beaucoup de parcimonie.

Foie d'agneau au lard et aux oignons

1

2

3

INGRÉDIENTS — Pour 4 personnes

350 g de foie d'agneau
2 grosses cuil. à soupe de farine
sel et poivre
2 cuil. à soupe d'huile d'arachide
2 gros oignons épluchés et coupés finement
2 gousses d'ail épluchées et hachées finement
1 piment rouge épépiné et haché
175 g de lard de poitrine en tranches fines
40 g de beurre
300 ml de bouillon d'agneau ou de bœuf
2 cuil. à soupe de persil fraîchement ciselé

Pour accompagner
purée de pommes de terre à la crème
haricots
carottes

1 Coupez le foie d'agneau en tranches fines, en éliminant les membranes ou les veines. Mélangez farine, sel et poivre et roulez la viande dans ce mélange jusqu'à ce qu'elle soit bien enrobée. Réservez.

2 Faites chauffer le wok, versez l'huile, faites-la bien chauffer et ajoutez l'oignon coupé finement, l'ail et le piment. Faites sauter 5 à 6 minutes jusqu'à ce qu'ils soient dorés. Retirez du wok à l'écumoire et réservez. Coupez chaque tranche de lard en deux, faites-les sauter 3 à 4 minutes. Retirez à l'écumoire et réservez avec les oignons.

3 Faites fondre le beurre dans le wok et faites sauter les languettes de foie au beurre jusqu'à ce qu'elles soient dorées et croquantes. Ajoutez le bouillon, amenez à ébullition et faites bouillir 1 à 2 minutes. Ajoutez le lard et les oignons, remuez bien et couvrez. Laissez cuire doucement 10 minutes. Parsemez de persil et servez immédiatement avec la purée, les haricots verts et les carottes.

Une question de goût

Pour la purée de pommes de terre à la crème, épluchez et coupez en cubes 450 g de pommes de terre. Couvrez d'eau froide salée, amenez à ébullition et faites cuire 15 à 20 minutes. Égouttez bien, remettez dans la casserole sur le feu quelques secondes. Ajoutez 25 g de beurre et 2 cuillerées à soupe de crème. Écrasez en mélangeant bien, rectifiez l'assaisonnement. Si la purée vous paraît trop épaisse, ajoutez du lait cuillerée par cuillerée.

Émincé de bœuf sauce hoisin

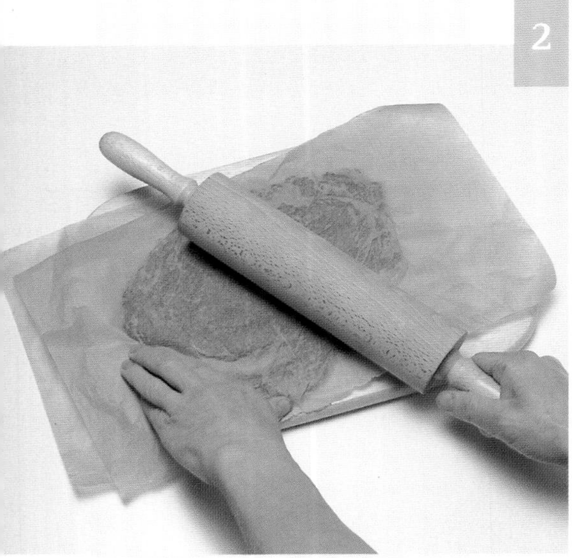

INGRÉDIENTS

Pour 4 personnes

2 branches de céleri
125 g de carottes
450 g de rumsteck
2 cuil. à soupe de Maïzena
sel et poivre
2 cuil. à soupe d'huile de tournesol
4 petits oignons blancs épluchés et hachés
2 cuil. à soupe de sauce de soja claire
1 cuil. à soupe de sauce *hoisin* (voir p. 52)
1 cuil. à soupe de sauce de piment doux
2 cuil. à soupe de xérès sec
250 g de nouilles aux œufs
1 cuil. à soupe de coriandre fraîche ciselée

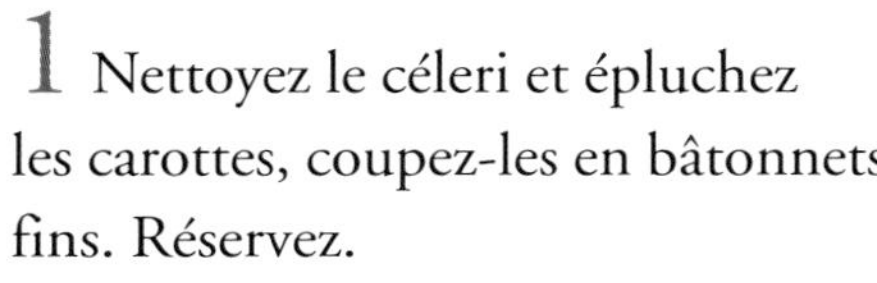

1 Nettoyez le céleri et épluchez les carottes, coupez-les en bâtonnets fins. Réservez.

2 Mettez la viande entre deux feuilles de papier sulfurisé, aplatissez-la avec le rouleau à pâtisserie ou avec le marteau à viande, jusqu'à ce qu'elle soit très fine. Puis coupez-la en fines languettes. Mélangez la Maïzena, le sel et le poivre dans un petit saladier, roulez la viande dans le mélange jusqu'à ce qu'elle soit bien enrobée. Réservez.

3 Faites chauffer le wok, versez l'huile, attendez qu'elle soit bien chaude pour faire revenir les petits oignons blancs 1 minute. Mettez la viande et faites sauter 3 à 4 minutes : elle doit être bien saisie.

4 Ajoutez le céleri et les carottes, faites revenir 2 minutes avant de verser la sauce de soja, la sauce *hoisin*, la sauce de piment et le xérès. Amenez à ébullition et faites cuire 2 à 3 minutes. La viande doit être tendre et les légumes cuits.

5 Plongez les nouilles dans de l'eau bouillante, faites-les cuire 4 minutes Égouttez, mettez-les dans un grand plat de service. Versez la préparation du wok sur les nouilles, saupoudrez de coriandre ciselée et servez immédiatement.

Une question de goût

Bien que cette recette soit réalisée avec du xérès, vous pouvez l'orientaliser encore davantage en utilisant du vin de riz.

Porc aux trois poivrons

1

2

3

INGRÉDIENTS — Pour 4 personnes

- 450 g de filet de porc
- 2 cuil. à soupe d'huile d'arachide
- 1 oignon épluché et coupé finement
- 1 poivron rouge épépiné et coupé en lanières
- 1 poivron jaune épépiné et coupé en lanières
- 1 poivron orange épépiné et coupé en lanières
- 2 gousses d'ail épluchées et écrasées
- 2 cuil. à café de paprika
- 400 g de tomates coupées en morceaux
- 300 ml de bouillon de porc ou de volaille
- 1 cuil. à café de sucre roux
- sel et poivre
- 1 poignée de feuilles d'origan frais
- 350 g de penne
- 2 cuil. à soupe de mozzarella en lamelles

1 Dégraissez la viande de porc, coupez-la en petits cubes. Faites chauffer le wok, ajoutez l'huile et, quand elle est bien chaude, faites revenir la viande 3 à 4 minutes. La viande doit être bien saisie. Enlevez à l'écumoire et réservez.

2 Mettez l'oignon coupé finement dans le wok et faites sauter jusqu'à ce qu'il soit tendre, sans dorer. Ajoutez les poivrons en lanières, faites sauter 3 à 4 minutes.

3 Ajoutez l'ail, le paprika, les morceaux de tomates, le bouillon, le sucre, le sel et le poivre. Amenez à ébullition et laissez cuire à petit bouillon 15 minutes à découvert, en remuant de temps à autre jusqu'à ce que la sauce ait réduit et épaissi. Remettez le porc dans le wok et continuez de faire cuire 5 à 10 minutes. Saupoudrez de feuilles d'origan.

4 Faites cuire les pâtes dans de l'eau bouillante 3 à 4 minutes ou selon les indications du sachet, jusqu'à ce qu'elles soient *al dente*. Égouttez et servez immédiatement avec le porc aux poivrons et la mozzarella en lamelles.

Une question de goût

L'origan frais a un goût assez fort, proche de celui de la marjolaine. 1 cuillerée à café d'origan sec équivaut à une poignée d'origan frais.

Curry de bœuf au citron et au riz arborio

1

2

3

INGRÉDIENTS Pour 4 personnes

450 g de bœuf dans le filet
1 cuil. à soupe d'huile d'olive
2 cuil. à soupe de pâte de curry verte
1 poivron vert épépiné et coupé en lanières
1 poivron rouge épépiné et coupé en lanières
1 branche de céleri épluchée et coupée finement
le jus de 1 citron
2 cuil. à café de sauce de poisson thaï
2 cuil. à café de sucre
225 g de riz arborio (ou riz rond)
15 g de beurre
2 cuil. à soupe de coriandre ciselée
4 cuil. à soupe de crème fraîche

1 Dégraissez le filet, coupez la viande en tranches fines en travers du grain. Faites chauffer le wok, ajoutez l'huile, faites-la bien chauffer et ajoutez la pâte de curry verte. Faites revenir 30 secondes. Mettez les lanières de bœuf et faites revenir 3 à 4 minutes.

2 Ajoutez les poivrons et le céleri, faites revenir 2 minutes, versez le jus de citron, la sauce thaï, le sucre et laissez cuire 3 à 4 minutes, jusqu'à ce que le bœuf soit tendre et cuit à point.

3 En même temps, faites cuire le riz dans une casserole d'eau bouillante légèrement salée, 15 à 20 minutes jusqu'à ce qu'il soit bien cuit. Égouttez, rincez à l'eau bouillante, égouttez à nouveau. Remettez dans la casserole avec le beurre. Couvrez et laissez le beurre fondre avant de remuer et de verser le riz dans un grand plat de service. Saupoudrez de coriandre ciselée et servez sans attendre avec le riz et la crème fraîche.

Une question de goût

La pâte de curry vert peut se faire chez soi avec un mixer ou un moulin à épices. Hachez finement 3 à 4 piments verts, 1 tige de citronnelle, 2 échalotes, 3 gousses d'ail, 2,5 cm de galanga ou de gingembre, 1 cuillerée à café de coriandre moulue, 1 cuillerée et demie à café de cumin moulu, 2 feuilles de citronnier kaffir et une poignée de feuilles de coriandre fraîche. Gardez au réfrigérateur.

Poulet au citron

1

3

3

INGRÉDIENTS

Pour 4 personnes

- 450 g de blanc de poulet désossé, sans peau, coupé en cubes
- 1 blanc d'œuf légèrement battu
- 1 cuil. à café de sel
- 2 cuil. à soupe d'huile de sésame
- 2 cuil. à café de Maïzena
- 200 ml d'huile d'arachide
- 75 ml de bouillon de volaille
- le zeste et le jus de 1 citron
- 1 cuil. à soupe de sucre
- 1 cuil. à soupe de sauce de soja claire
- 2 cuil. à soupe de vin de riz chinois ou de xérès
- 3 grosses gousses d'ail épluchées et hachées finement
- 1 à 2 cuil. à café de piment rouge écrasé
- 1 piment rouge découpé pour le décor
- riz blanc à la vapeur pour accompagner

1 Mettez les cubes de poulet dans un saladier, ajoutez le blanc d'œuf et le sel, 1 cuillerée à café d'huile de sésame, 1 cuillerée à café de Maïzena. Mélangez bien pour enrober la viande. Mettez au réfrigérateur 20 minutes.

2 Faites chauffer le wok, ajoutez l'huile et, quand elle est bien chaude, éloignez-le de la chaleur et ajoutez le poulet. Faites revenir 2 minutes jusqu'à ce qu'il devienne blanc. Enlevez à l'écumoire, égouttez sur du papier absorbant.

3 Essuyez le wok, réchauffez-le jusqu'à ce qu'il soit très chaud. Ajoutez le bouillon, le zeste et le jus de citron, le sucre, la sauce de soja, le vin de riz chinois ou le xérès, l'ail et les piments écrasés. Ramenez l'ébullition. Délayez le reste de Maïzena dans 1 cuillerée à café d'eau, ajoutez au wok. Mélangez et laissez cuire 1 minute. Ajoutez les cubes de poulet et faites revenir encore 2 à 3 minutes. Ajoutez le reste d'huile de sésame, garnissez avec le piment découpé et servez immédiatement avec du riz blanc cuit à la vapeur.

Un peu d'info

Utilisez du citron non traité pour râper le zeste. À défaut, versez de l'eau bouillante sur les citrons et frottez pour les débarrasser de leur couverture de cire.

Poulet aux haricots noirs

1

2

3

INGRÉDIENTS — Pour 4 personnes

- 450 g de blanc de poulet désossé et sans peau, coupé en lanières
- 1 cuil. à soupe de sauce de soja
- 2 cuil. à soupe de vin de riz chinois ou de xérès
- sel
- 1 cuil. à café de sucre
- 1 cuil. à café d'huile de sésame
- 2 cuil. à café de Maïzena
- 2 cuil. à soupe d'huile de tournesol
- 2 poivrons verts épépinés et coupés en dés
- 1 cuil. à soupe de gingembre frais râpé
- 2 gousses d'ail épluchées et hachées grossièrement
- 2 échalotes épluchées et hachées finement
- 4 petits oignons blancs épluchés et coupés finement
- 3 cuil. à soupe de haricots noirs salés hachés
- 150 ml de bouillon de volaille
- vert de petit oignon blanc en fines lanières pour le décor
- nouilles aux œufs pour accompagner

1 Placez le poulet dans un saladier. Mélangez la sauce de soja, le vin de riz chinois ou le xérès, 1 pincée de sel, le sucre, l'huile de sésame et la Maïzena dans un bol. Versez sur le poulet.

2 Faites chauffer le wok, versez l'huile et, quand elle est bien chaude, ajoutez la viande et faites revenir 2 minutes en remuant. Ajoutez les poivrons verts et faites sauter 2 minutes. Ajoutez le gingembre, l'ail, les échalotes, les petits oignons blancs et les haricots noirs. Continuez la cuisson 2 minutes.

3 Ajoutez les 4 cuillerées à soupe de bouillon, remuez bien 1 minute, puis versez le reste du bouillon et amenez à ébullition. Réduisez la chaleur et laissez bouillir la sauce 3 à 4 minutes, jusqu'à ce que le poulet soit cuit et que la sauce ait légèrement épaissi. Garnissez avec le vert de petit oignon blanc en lanières et servez immédiatement avec des nouilles aux œufs.

Un peu d'info

Les haricots noirs salés sont des haricots de soja en conserve additionnés de sel et d'épices, qui ont subi une fermentation. On les utilise souvent en raison de leur goût salé spécifique et de leur riche saveur aromatique pour assaisonner les préparations chinoises, au même titre que l'ail et le gingembre. On les trouve en conserve – il faut alors les rincer et les égoutter – ou secs, forme sous laquelle ils se conservent indéfiniment dans un récipient hermétique.

Poulet au curry vert

1

2

3

INGRÉDIENTS

Pour 4 personnes

- 1 oignon épluché et haché
- 3 tiges de citronnelle, débarrassées de leur pelure supérieure et coupées finement
- 2 gousses d'ail épluchées et hachées finement
- 1 cuil. à soupe de gingembre frais râpé
- 3 piments verts
- le zeste et le jus d'un citron vert
- 2 cuil. à soupe d'huile d'arachide
- 2 cuil. à soupe de sauce de poisson thaï
- 6 cuil. à soupe de coriandre fraîche ciselée
- 6 cuil. à soupe de basilic frais ciselé
- 450 g de blanc de poulet désossé et coupé en languettes fines
- 125 g de haricots verts équeutés
- 400 ml de lait de coco
- feuilles de basilic pour le décor
- riz blanc pour accompagner

1 Mettez l'oignon, la citronnelle, l'ail, le gingembre, les piments, le zeste et le jus de citron vert, 1 cuillerée à soupe d'huile d'arachide, la sauce de poisson, la coriandre et le basilic dans un robot. Faites tourner l'appareil jusqu'à obtention d'une pâte lisse assez épaisse. Si elle l'est trop, allongez d'un peu d'eau. Réservez.

2 Faites chauffer le wok, ajoutez l'huile restante et, quand elle est bien chaude, ajoutez le poulet. Remuez 2 à 3 minutes, jusqu'à ce que la viande commence à prendre couleur. Ajoutez les haricots verts et faites sauter 1 minute encore. Retirez les haricots et le poulet à l'écumoire. Réservez. Essuyez le wok avec du papier absorbant.

3 Mettez la préparation verte dans le wok, chauffez 1 minute. Ajoutez le lait de coco et fouettez pour bien mélanger. Remettez le poulet et les haricots dans le wok, ramenez l'ébullition et faites cuire 5 à 7 minutes jusqu'à ce que le poulet soit cuit. Saupoudrez de basilic ciselé et servez immédiatement avec du riz cuit.

Une question de goût

Utilisez si possible du basilic thaïlandais à grandes feuilles. Celles-ci sont plus plates et plus épaisses que celles du basilic européen, avec un goût plus prononcé et plus anisé. On le trouve dans les magasins de produits asiatiques et dans certaines grandes surfaces.

Poulet chow mein

INGRÉDIENTS — Pour 4 personnes

- 225 g de nouilles aux œufs chinoises
- 5 cuil. à café d'huile de sésame
- 4 cuil. à café de sauce de soja claire
- 2 cuil. à soupe de vin de riz chinois ou de xérès sec
- sel et poivre
- 225 g de blanc de poulet désossé sans peau, coupé en languettes fines
- 3 cuil. à soupe d'huile d'arachide
- 2 gousses d'ail épluchées et hachées finement
- 50 g de pois mangetout coupés en deux dans la longueur
- 50 g de jambon cuit, coupé en languettes
- 2 cuil. à café de sauce de soja foncée
- 1 pincée de sucre

Pour le décor

- vert de petit oignon blanc en fines lanières
- graines de sésame sautées

1 Faites bouillir une casserole d'eau, plongez les nouilles. Faites-les cuire 3 à 5 minutes, égouttez-les et plongez-les dans de l'eau froide. Égouttez-les de nouveau et ajoutez 1 cuillerée à soupe d'huile de sésame. Mélangez.

2 Mettez dans un saladier 2 cuillerées à café de sauce de soja claire, 1 cuillerée à soupe de vin de riz chinois ou de xérès, 1 cuillerée à café d'huile de sésame, le sel et le poivre. Mélangez et ajoutez les lanières de poulet. Remuez, couvrez et laissez mariner au réfrigérateur 15 minutes.

3 Faites chauffer le wok, ajoutez 1 cuillerée à soupe d'huile d'arachide et, quand elle est bien chaude, ajoutez le poulet et sa marinade. Faites revenir 2 minutes. Réservez le poulet et son jus. Essuyez le wok avec du papier absorbant.

4 Chauffez le wok, ajoutez l'huile d'arachide restante et, quand elle est chaude, mettez l'ail à revenir 20 secondes. Ajoutez les pois, le jambon, faites revenir 1 minute en remuant. Ajoutez les nouilles, la sauce de soja claire restante, le vin de riz chinois ou le xérès, la sauce de soja foncée et le sucre. Salez, poivrez et faites revenir 2 minutes en remuant.

5 Ajoutez le poulet et son jus dans le wok, faites revenir 4 minutes, jusqu'à ce que le poulet soit cuit. Arrosez du reste de l'huile de sésame. Garnissez de vert de petit oignon blanc en lanières et de graines de sésame et servez immédiatement.

Un peu d'info

L'huile de sésame est une préparation dorée, épaisse et riche à base de graines de sésame grillées et écrasées. On l'utilise en cuisine chinoise, surtout pour assaisonner.

Salade de poulet à la sauce satay

1

INGRÉDIENTS Pour 4 personnes

- 4 cuil. à soupe de beurre de cacahuète
- 1 cuil. à soupe de sauce au piment
- 1 gousse d'ail épluchée et écrasée
- 2 cuil. à soupe de vinaigre de cidre
- 2 cuil. à soupe de sauce de soja claire
- 2 cuil. à soupe de sauce de soja foncée
- 2 cuil. à café de sucre roux
- 1 pincée de sel
- 2 cuil. à café de poivre du Sichuan fraîchement moulu
- 450 g de nouilles aux œufs
- 2 cuil. à soupe d'huile de sésame
- 1 cuil. à soupe d'huile d'arachide
- 450 g de blanc de poulet désossé, sans peau, coupé en cubes
- feuilles de céleri pour le décor
- salade romaine pour accompagner

2

3

1 Mettez le beurre de cacao, la sauce au piment, l'ail, le vinaigre de vin, la sauce au soja, le sucre, le sel et le poivre du Sichuan dans le bol d'un robot. Faites fonctionner l'appareil pour obtenir une pâte lisse. Mettez-la dans un petit saladier, couvrez et réservez au réfrigérateur.

2 Amenez à ébullition une casserole d'eau légèrement salée. Plongez-y les nouilles et cuisez-les 3 minutes. Égouttez et rafraîchissez sous l'eau froide. Égouttez de nouveau et arrosez d'huile de sésame. Laissez refroidir.

3 Faites chauffer le wok, versez l'huile et, quand elle est bien chaude, faites revenir les cubes de poulet 5 à 6 minutes jusqu'à ce qu'ils soient dorés et bien cuits.

4 Enlevez le poulet à l'écumoire, ajoutez les nouilles ainsi que la pâte au beurre de cacahuète. Mélangez légèrement puis saupoudrez de feuilles de céleri en branche ciselées. Ce plat peut se servir chaud ou froid avec une salade romaine.

Un peu d'info

Le poivre du Sichuan est le fruit d'un arbuste appartenant à la famille des agrumes. Son odeur rappelle la lavande avec une saveur puissante et moyennement épicée. On fait d'abord griller les baies dans une poêle sèche avant de les moudre, ce qui en fait ressortir le goût.

Magret de canard en feuille de wonton

1

INGRÉDIENTS Pour 4 personnes

2 magrets de canard
2 cuil. à soupe de poudre de cinq-épices
2 cuil. à soupe de poivre du Sichuan
1 cuil. à soupe de poivre en grains
3 cuil. à soupe de graines de cumin
5 cuil. à café de sel de mer
6 tranches fines de gingembre frais
6 petits oignons blancs hachés grossièrement
1 cuil. à soupe de Maïzena
1 l d'huile végétale pour friture
16 feuilles de wonton
1 morceau de concombre de 5 cm taillé en bâtonnets
125 ml de sauce *hoisin* (voir p.52)

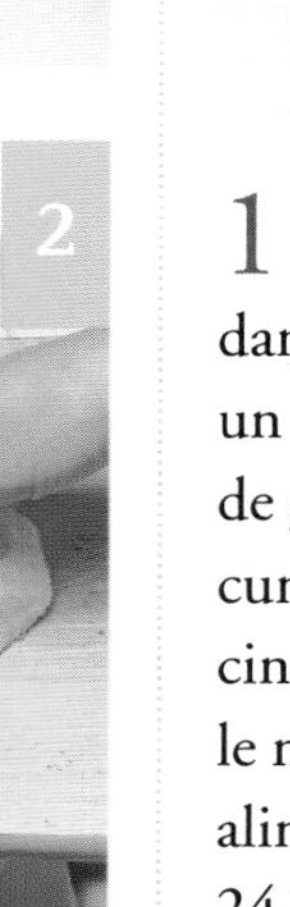

2

4

1 Lavez les magrets, essuyez-les dans du papier absorbant. Dans un mortier, écrasez les deux sortes de grains de poivre, les graines de cumin et le sel de mer avec la poudre cinq-épices. Frottez les magrets avec le mélange, enveloppez de film alimentaire et placez au réfrigérateur 24 heures.

2 Placez la grille dans le wok. Versez 5 cm d'eau bouillante. Mettez les magrets, ainsi que les tranches de gingembre et la moitié des oignons de printemps hachés dans un plat. Couvrez et laissez cuire à la vapeur 40 à 50 minutes. Surveillez. Videz la graisse de temps à autre, ajoutez de l'eau bouillante si nécessaire. Sortez les magrets et laissez-les refroidir légèrement.

3 Saupoudrez les magrets de Maïzena, secouez pour en éliminer l'excès. Faites chauffer le wok, ajoutez l'huile et, quand elle est bien chaude, faites frire les magrets 8 minutes. Égouttez sur du papier absorbant, découpez les magrets en tranches. Saupoudrez du reste des petits oignons blancs.

4 Réchauffez le wok. L'huile doit presque fumer. Piquez 1 feuille de wonton avec deux baguettes, arrondissez-la en forme de taco mexicain et plongez-la dans le bain de friture jusqu'à ce qu'elle soit croustillante et dorée. Égouttez sur du papier absorbant. Recommencez avec les autres feuilles. Remplissez avec la préparation de canard, les petits oignons blancs, les concombres et la sauce *hoisin*. Servez chaud.

Un peu d'info

La poudre cinq-épices est composée d'anis étoilé, de poivre du Sichuan, de graines de fenouil, de clous de girofle et de cannelle.

Poulet sauté aux petits légumes

1

2

3

Ingrédients

Pour 4 personnes

2 cuil. à soupe d'huile d'arachide
1 petit piment rouge épépiné et haché finement
150 g de blanc de poulet désossé, sans peau, coupé en cubes
2 jeunes poireaux lavés et coupés finement
12 asperges coupées en deux
125 g de pois mangetout équeutés
125 g de petites carottes coupées en deux dans la longueur
125 g de petits haricots très fins équeutés et coupés en deux
125 g de mini-maïs coupés en deux en diagonale
50 ml de bouillon de volaille
2 cuil. à café de sauce de soja claire
1 cuil. à soupe de xérès
1 cuil. à café d'huile de sésame
graines de sésame grillées pour le décor

1 Faites chauffer le wok, versez l'huile, faites-la bien chauffer et mettez le piment et le poulet à sauter 2 minutes, jusqu'à ce que ce dernier soit bien cuit et doré.

2 Augmentez la chaleur, mettez le poireau, faites sauter 2 minutes, puis ajoutez les asperges, les mangetout, les carottes, les haricots verts et les mini-maïs. Faites sauter 3 à 4 minutes en remuant, jusqu'à ce que les légumes commencent à s'attendrir. Ils doivent rester croquants.

3 Mélangez dans un petit bol le bouillon de volaille, la sauce de soja, le xérès et l'huile de sésame. Versez dans le wok, remuez et réchauffez. Saupoudrez de graines de sésame grillées et servez immédiatement.

Le bon truc

On trouve dans les grandes surfaces des paquets de mini-légumes en mélange lavés et épluchés qui font gagner un temps précieux. On peut varier les légumes.

Dinde à l'aigre-doux

INGRÉDIENTS — Pour 4 personnes

- 2 cuil. à soupe d'huile d'arachide
- 2 gousses d'ail épluchées et hachées
- 1 cuil. à soupe de gingembre frais épluché et râpé
- 4 petits oignons blancs épluchés et coupés en tronçons de 4 cm
- 450 g de blanc de dinde coupé finement en languettes
- 1 poivron rouge épépiné et coupé en cubes de 2 cm de côté
- 225 g de châtaignes d'eau égouttées
- 150 ml de bouillon de volaille
- 2 cuil. à soupe de vin de riz
- 3 cuil. à soupe de sauce de soja claire
- 2 cuil. à soupe de sauce de soja foncée et 2 cuil. à soupe de concentré de tomate
- 2 cuil. à soupe de vinaigre de vin blanc
- 1 cuil. à soupe de sucre
- 1 cuil. à soupe de Maïzena
- riz frit aux œufs (riz cantonais) pour accompagner

1 Faites chauffer le wok, ajoutez l'huile et, quand elle est bien chaude, faites revenir l'ail, le gingembre et les petits oignons blancs 20 secondes.

2 Ajoutez le blanc de dinde, faites revenir 2 minutes, jusqu'à ce qu'il commence à prendre couleur. Ajoutez les poivrons et les châtaignes d'eau, remuez 2 minutes.

3 Dans un petit bol, mélangez le bouillon, le vin de riz, les sauces de soja, le concentré de tomate, le vinaigre de vin blanc et le sucre. Ajoutez le mélange dans le wok, remuez et ramenez l'ébullition.

4 Délayez la Maïzena dans 2 cuillerées à soupe d'eau froide, ajoutez à la préparation. Réduisez la chaleur et laissez cuire 3 minutes jusqu'à ce que la viande soit bien cuite et la sauce légèrement épaissie. Servez immédiatement avec du riz frit aux œufs.

Une question de goût

Pour faire le riz frit aux œufs ou riz cantonais, faites chauffer 1 cuillerée à soupe d'huile végétale dans un wok. Faites revenir quelques instants 450 g de riz cuit froid, ajoutez 125 g de petits pois décongelés, faites sauter 5 minutes à feu vif. Ajoutez 2 œufs battus et 125 g de haricots verts. Laissez cuire jusqu'à ce que les œufs aient pris. Versez le riz sur un plat de service et garnissez avec un petit oignon blanc haché finement. Servez immédiatement.

Poulet thaï à la noix de coco

INGRÉDIENTS

Pour 4 personnes

- 1 cuil. à café de graines de cumin
- 1 cuil. à café de graines de moutarde
- 1 cuil. à café de graines de coriandre
- 1 cuil. à café de curcuma
- 1 petit piment épépiné et haché finement
- 1 cuil. à soupe de gingembre frais râpé
- 2 gousses d'ail épluchées et hachées finement
- 125 ml de crème fraîche épaisse
- 8 cuisses de poulet sans peau
- 2 cuil. à soupe d'huile d'arachide
- 1 oignon épluché et coupé finement
- 200 ml de lait de coco
- sel et poivre
- 4 cuil. à soupe de coriandre fraîchement ciselée
- 2 petits oignons blancs coupés finement dans la longueur pour le décor
- riz parfumé thaïlandais cuit pour accompagner

1 Faites chauffer le wok, mettez les graines de cumin, de moutarde et de coriandre à griller 2 minutes, jusqu'à ce que le parfum s'accentue et que les graines commencent à sauter. Ajoutez le curcuma, remuez bien et éloignez de la chaleur. Écrasez dans le mortier ou passez au mixer.

2 Dans un petit bol, mélangez le piment, le gingembre, l'ail, la crème et les épices écrasées. Placez les cuisses de poulet dans un plat creux, arrosez de la pâte épicée.

3 Faites chauffer le wok, ajoutez l'huile et, quand elle est bien chaude, mettez les oignons à revenir jusqu'à ce qu'ils soient dorés. Ajoutez le poulet et sa crème, laissez cuire 5 à 6 minutes, en remuant de temps à autre. Lorsque tout a pris couleur, ajoutez le lait de coco et assaisonnez de sel et de poivre. Laissez mijoter entre 15 et 20 minutes sans bouillir, jusqu'à ce que les cuisses de poulet soient bien cuites. Ajoutez la coriandre et servez immédiatement avec le riz thaïlandais parfumé, saupoudré de vert de petit oignon blanc coupé finement.

Une question de goût

Faire revenir les épices avant de les moudre permet de dégager les huiles essentielles, de les rendre plus aromatiques et plus savoureuses.

Ailes de poulet frites

1

2

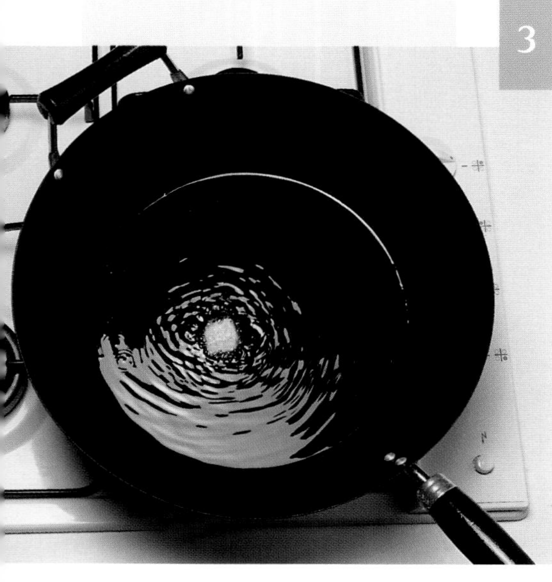

3

INGRÉDIENTS — Pour 4 personnes

- 2 cuil. à café de curcuma
- 1 cuil. à café de piment en poudre
- 1 cuil. à café de coriandre en poudre
- 1 cuil. à café de cumin en poudre
- 3 gousses d'ail épluchées et écrasées
- 8 ailes de poulet
- 2 cuil. à soupe de marmelade d'orange
- 2 cuil. à soupe de gingembre au sirop (ou mieux, en marmelade)
- 1 cuil. à café de sel
- 3 cuil. à soupe de vinaigre de vin de riz ou de vin blanc
- 2 cuil. à soupe de ketchup
- 1 l d'huile végétale pour friture
- quartiers de citron vert pour le décor

1 Mélangez le curcuma, les poudres de piment, de coriandre, de cumin et l'ail dans un petit bol. Essuyez les ailes de poulet dans du papier absorbant, puis frottez chacune d'elles avec le mélange d'épices. Couvrez et réservez au réfrigérateur 2 heures au moins.

2 Pendant ce temps, faites la sauce en mélangeant la marmelade, le gingembre, le sel, le vinaigre de vin de riz et le ketchup dans une petite casserole. Chauffez en remuant, laissez refroidir. Pour servir, placez dans un petit bol. Pour conserver, mettez dans un récipient hermétique au réfrigérateur.

3 Versez l'huile dans un wok. Faites chauffer à 190 °C dans un grand wok (jusqu'à ce qu'un petit cube de pain dore en 30 secondes). Déposez 2 à 3 ailes de poulet à la fois dans l'huile chaude et faites frire 3 à 4 minutes. Enlevez à l'écumoire, déposez sur du papier absorbant. Faites éventuellement réchauffer l'huile entre chaque cuisson.

4 Quand toutes les ailes sont frites, disposez-les sur un plat de service, garnissez de quartiers de citron vert et servez.

Le bon truc

La température de l'huile est très importante pour une friture réussie. Si elle n'est pas suffisamment chaude, le poulet sera graisseux, si elle est trop chaude, il risque de brûler avant de cuire.

Poulet sauté au basilic

1

2

3

INGRÉDIENTS

Pour 4 personnes

3 cuil. à soupe d'huile de tournesol
3 cuil. à soupe de pâte de curry verte
450 g de blanc de poulet désossé, sans peau, coupé en cubes
8 tomates cerises
100 ml de crème de noix de coco
2 cuil. à soupe de sucre roux
2 cuil. à soupe de sauce de poisson thaï
1 piment rouge épépiné et coupé finement
1 piment vert épépiné et coupé finement
75 g de feuilles de basilic frais déchiquetées
feuilles de coriandre fraîche pour le décor
riz blanc à la vapeur pour accompagner

1 Faites chauffer le wok, ajoutez l'huile et, quand elle est bien chaude, mettez la pâte de curry verte à chauffer 1 minute pour dégager le goût. Ajoutez les cubes de poulet et faites revenir à grand feu en remuant 2 minutes ; le poulet doit être bien imprégné.

2 Réduisez la chaleur, ajoutez les tomates cerises et laissez cuire 2 à 3 minutes en remuant. Les tomates doivent commencer à se désagréger et à s'amalgamer à la pâte de curry.

3 Ajoutez la moitié de la crème de noix de coco ainsi que le sucre roux, la sauce de poisson thaï et les piments coupés finement. Remuez 5 minutes, jusqu'à ce que la sauce soit bien amalgamée et que le poulet soit cuit à cœur.

4 Juste avant de servir, saupoudrez de feuilles de basilic et ajoutez le reste de la crème de coco. Servez sans attendre avec du riz vapeur et saupoudrez de feuilles de coriandre fraîche.

Un peu d'info

La crème de noix de coco se présente sous la forme d'un bloc cireux de crème durcie. Elle est très riche en graisse mais ajoute un goût crémeux et parfumé aux plats. Râpez-la ou hachez-la au couteau, elle fond facilement à la chaleur.

Blanc de dinde et nouilles aux champignons

INGRÉDIENTS — Pour 4 personnes

- 225 g de nouilles aux œufs
- 1 cuil. à soupe d'huile d'arachide
- 1 oignon rouge épluché et coupé finement
- 2 cuil. à soupe de gingembre frais râpé
- 3 gousses d'ail épluchées et hachées finement
- 350 g de blanc de dinde sans peau, coupé en tranches fines
- 275 g de petits champignons de Paris essuyés
- 2 cuil. à soupe de sauce de soja foncée
- 2 cuil. à soupe de sauce *hoisin*
- 2 cuil. à soupe de xérès sec
- 4 cuil. à soupe de bouillon de légumes
- 2 cuil. à café de Maïzena

1 Amenez à ébullition une grande casserole d'eau légèrement salée et plongez-y les nouilles. Laissez cuire 3 à 5 minutes, puis égouttez, plongez immédiatement dans de l'eau froide. Égouttez de nouveau et réservez.

2 Faites chauffer le wok, ajoutez l'huile et, quand elle est bien chaude, ajoutez l'oignon, faites-le revenir 3 minutes jusqu'à ce qu'il soit tendre. Ajoutez le gingembre et l'ail, remuez 3 minutes, ajoutez les languettes de dinde et faites revenir 4 à 5 minutes. La viande doit être saisie et dorée.

3 Coupez les champignons en tranches égales. Ajoutez au wok. Faites revenir 3 à 4 minutes en remuant, jusqu'à ce qu'ils soient tendres et que le blanc de dinde soit cuit. Versez alors la sauce *hoisin*, la sauce de soja, le xérès et le bouillon.

4 Délayez la Maïzena avec 2 cuillerées à soupe d'eau, ajoutez dans le wok, laissez cuire en remuant bien jusqu'à ce que la sauce épaississe. Versez les nouilles dans le wok, remuez et servez immédiatement.

Un peu d'info

Si vous préférez acheter des champignons des bois, choisissez-les plutôt secs. Pour les préparer, il faut éviter de les laver, à moins qu'ils soient vraiment très sales ; brossez-les et essuyez-les dans un torchon humide.

Poulet aux noix de cajou

1

2

3

INGRÉDIENTS — Pour 4 personnes

450 g de blanc de poulet désossé, sans peau et coupé en cubes
1 blanc d'œuf légèrement battu
1 cuil. à café de sel
1 cuil. à café d'huile de sésame
1 cuil. à café de Maïzena
300 ml d'huile d'arachide pour friture
2 cuil. à café d'huile de tournesol
50 g de noix de cajou non salées
4 petits oignons blancs coupés en lanières
50 g de pois mangetout, coupés finement en diagonale
1 cuil. à soupe de vin de riz
1 cuil. à soupe de sauce de soja claire
vert de petit oignon blanc en fines lanières pour le décor
riz blanc à la vapeur, garni de feuilles de coriandre pour accompagner

1 Mettez le blanc d'œuf, le sel, l'huile de sésame et la Maïzena dans un grand saladier. Mélangez bien, puis ajoutez le poulet et remuez bien pour l'enrober. Mettez en attente 20 minutes au réfrigérateur.

2 Faites chauffer le wok, ajoutez l'huile d'arachide et, quand elle est bien chaude, éloignez le wok de la source de chaleur, ajoutez le blanc de poulet en remuant constamment pour éviter que la viande ne se colle aux parois du wok. Quand le poulet devient blanc, après 2 minutes de cuisson, égouttez-le à l'écumoire et réservez. Jetez l'huile.

3 Essuyez le wok avec du papier absorbant. Réchauffez, ajoutez l'huile de tournesol et, quand elle est bien chaude, mettez les noix de cajou, les petits oignons blancs et les pois mangetout. Faites revenir 1 minute.

4 Ajoutez le vin de riz et la sauce de soja. Remettez le blanc de poulet dans le wok et remuez 2 minutes. Garnissez de vert de petit oignon blanc en lanières et servez immédiatement avec le riz garni de feuilles de coriandre fraîche.

Le bon truc

Le blanc d'œuf et la Maïzena mélangés pour enrober le blanc de poulet cru est une tradition de la cuisine chinoise qui rend le poulet particulièrement tendre. Cependant, le blanc d'œuf a tendance à coller aux parois du wok. Il est donc recommandé d'essuyer le wok entre les différents stades de la cuisson.

Dinde Sichuan aux nouilles

1

INGRÉDIENTS

Pour 4 personnes

1 cuil. à soupe de concentré de tomate
2 cuil. à café de sauce aux haricots noirs
2 cuil. à café de vinaigre
sel et poivre
½ cuil. à café de poivre du Sichuan
2 cuil. à café de sucre
4 cuil. à café d'huile de sésame
225 g de nouilles aux œufs
2 cuil. à soupe d'huile d'arachide
2 cuil. à café de gingembre frais râpé
3 gousses d'ail épluchées et hachées grossièrement
2 échalotes épluchées et hachées finement
2 courgettes épluchées et coupées en bâtonnets
450 g de blanc de dinde sans peau, coupé en languettes
rondelles d'oignon frit pour le décor

3

4

1 Mélangez le concentré de tomate, la sauce aux haricots noirs, le vinaigre de cidre, 1 pincée de sel et de poivre, le sucre et la moitié de l'huile de sésame dans un petit bol. Mettez au réfrigérateur 30 minutes.

2 Faites bouillir une grande casserole d'eau légèrement salée, plongez-y les nouilles. Laissez cuire 3 à 5 minutes, égouttez et plongez-les immédiatement dans de l'eau froide. Arrosez du reste d'huile de sésame et réservez.

3 Faites chauffer le wok, ajoutez l'huile et, quand elle est bien chaude, faites revenir le gingembre, l'ail et l'échalote. Faites sauter 20 secondes, ajoutez les courgettes et les languettes de dinde. Faites sauter 3 à 4 minutes, jusqu'à ce que la dinde soit bien saisie.

4 Ajoutez le contenu du petit bol, faites revenir 4 minutes à feu vif, ajoutez les nouilles et mélangez bien jusqu'à ce que les nouilles, la dinde, les légumes et la sauce soient intimement mêlés. Garnissez avec les rondelles d'oignon frit et servez immédiatement.

Un peu d'info

Le gingembre est l'un des aromates indispensables de la cuisine chinoise. Son goût à la fois épicé et légèrement âcre lui confère une saveur aussi subtile que spécifique. La racine de gingembre frais, de taille variable, est couverte d'une pelure beige à l'allure de papier, généralement épluchée avant l'usage. Achetez une racine ferme et lisse (les tout petits tubercules qui se trouvent aux extrémités sont délicieux et prouvent qu'elle est bien fraîche). Conservez au réfrigérateur recouvert d'un film alimentaire.

Poulet aux épinards et aux pignons

1

INGRÉDIENTS

Pour 4 personnes

50 g de pignons
2 cuil. à soupe d'huile de tournesol
1 oignon rouge épluché et haché finement
450 g de blanc de poulet désossé, coupé en languettes
450 g de tomates cerises coupées en deux
225 g d'épinards lavés à grande eau
sel et poivre
¼ de cuil. à soupe de vinaigre balsamique
50 g de raisins secs
tagliatelles cuites arrosées de beurre pour accompagner

2

3

1 Faites chauffer le wok, ajoutez les pignons. Faites griller 2 minutes en secouant le wok. Ils ne doivent pas brûler. Réservez. Essuyez le wok.

2 Réchauffez le wok, ajoutez l'huile et, quand elle est bien chaude, faites revenir l'oignon rouge 2 minutes en remuant. Ajoutez le poulet, faites sauter 2 à 3 minutes, jusqu'à ce qu'il soit bien doré. Réduisez la chaleur, versez les tomates cerises et faites cuire à feu moyen, jusqu'à ce qu'elles se désintègrent.

3 Ajoutez les feuilles d'épinard, faites-les cuire en remuant 2 à 3 minutes jusqu'à ce qu'elles réduisent. Salez et poivrez, ajoutez la pointe de muscade râpée, arrosez de vinaigre balsamique. Ajoutez les raisins secs et les pignons. Servez immédiatement sur un lit de nouilles au beurre.

Le bon truc

Les épinards sont vendus en sachets prêts à servir dans de nombreuses grandes surfaces. Les plus petits ont un goût plus subtil et cuisent plus vite.

Dinde au citron vert et au sésame

1

3

4

INGRÉDIENTS

Pour 4 personnes

450 g de blanc de dinde sans peau, coupé en languettes
2 tiges de citronnelle, débarrassées de leur pelure supérieure et coupées finement
le zeste de 1 citron vert râpé
4 gousses d'ail épluchées et écrasées
6 échalotes épluchées et coupées finement
2 cuil. à soupe de sauce de poisson thaï
2 cuil. à café de sucre roux
1 petit piment rouge épépiné et coupé finement
3 cuil. à soupe d'huile de tournesol
1 cuil. à soupe d'huile de sésame
225 g de nouilles de riz chinoises
1 cuil. à soupe de graines de sésame
vert de petit oignon blanc pour le décor
légumes sautés pour accompagner

1 Mettez les languettes de dinde dans un plat creux. Mélangez la citronnelle, le zeste de citron vert, l'ail, l'échalote, la sauce de poisson thaï, le sucre et le piment avec 2 cuillerées à soupe d'huile de tournesol et l'huile de sésame. Versez sur la dinde, couvrez et laissez mariner au réfrigérateur 2 à 3 heures, en arrosant la viande de temps à autre.

2 Faites bouillir une casserole d'eau et plongez-y les nouilles 5 minutes. Égouttez dans une passoire, puis plongez dans de l'eau froide. Égouttez de nouveau et réservez.

3 Faites chauffer le wok et quand il est très chaud, faites griller les graines de sésame à sec 1 à 2 minutes, jusqu'à ce qu'elles commencent à prendre couleur. Retirez du wok et réservez. Essuyez le wok.

4 Réchauffez le wok, ajoutez le reste d'huile de tournesol. Quand elle est bien chaude, sortez la dinde de la marinade, égouttez-la et faites la revenir 3 à 4 minutes jusqu'à ce que les morceaux soient bien dorés (il faudra peut-être faire deux cuissons). Ajoutez les nouilles, faites revenir 1 à 2 minutes en remuant bien pour qu'elles soient bien chaudes. Garnissez de vert de petit oignon blanc en lanières, de graines de sésame grillées et servez immédiatement avec des légumes sautés, au choix.

Un peu d'info

La citronnelle est l'une des constantes de la cuisine thaïlandaise. Elle a l'allure d'un petit oignon blanc, mais elle est plus sèche, avec un parfum distinct de citron. On la conserve bien au réfrigérateur deux à trois semaines.

Canard et légumes sautés à la sauce hoisin

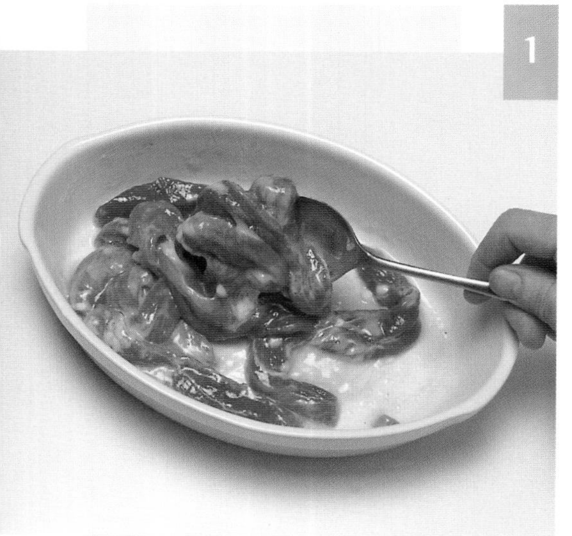

1

2

3

INGRÉDIENTS Pour 4 personnes

350 g de magret de canard dégraissé et coupé en languettes
1 blanc d'œuf fouetté
½ cuil. à café de sel
1 cuil. à café d'huile de sésame
2 cuil. à café de Maïzena
2 cuil. à soupe d'huile d'arachide
2 cuil. à soupe de gingembre frais râpé
50 g de pousses de bambou
50 g de haricots verts équeutés
50 g de vert de chou chinois
2 cuil. à soupe de sauce *hoisin* (voir p. 52)
1 cuil. à café de vin de riz chinois ou de xérès sec
le zeste râpé et le jus de ½ orange
zestes d'orange pour le décor
nouilles aux œufs pour accompagner

1 Dans un plat creux, mettez le blanc d'œuf fouetté, le sel, l'huile de sésame et la Maïzena. Mélangez et ajoutez les languettes de canard. Remuez légèrement pour que le canard soit bien enrobé. Couvrez et mettez au réfrigérateur 20 minutes.

2 Faites chauffer le wok, ajoutez l'huile et, quand elle est bien chaude, éloignez le wok de la source de chaleur. Ajoutez les languettes de canard en remuant sans cesse pour éviter qu'elles ne collent aux parois. Ajoutez le gingembre, faites sauter 2 minutes. Ajoutez les pousses de bambou, les haricots verts et le vert de chou chinois en lanières. Faites revenir 1 à 2 minutes jusqu'à ce que chou soit tendre.

3 Mélangez la sauce *hoisin*, le vin de riz chinois ou le xérès et le zeste et le jus d'orange. Versez dans le wok, remuez pour enrober le canard et les légumes. Faites sauter 1 à 2 minutes jusqu'à ce qu'ils soient cuits. Garnissez de lanières de zeste d'orange et servez immédiatement avec des nouilles aux œufs cuites à la vapeur.

Le bon truc

Le magret de canard est vendu avec sa peau et sa graisse, mais la peau est facile à enlever et la graisse vient généralement avec la peau. Avec un couteau bien affûté, enlevez ce qui serait resté sur la chair.

Canard sauté aux fruits exotiques

1

2

4

INGRÉDIENTS — Pour 4 personnes

- 4 magrets de canard dégraissé, coupé en languettes
- ½ cuil. à café de cinq-épices
- 2 cuil. à soupe de sauce de soja
- 1 cuil. à soupe d'huile de sésame
- 1 cuil. à soupe d'huile d'arachide
- 2 branches de céleri épluchées, en dés
- 225 g d'ananas en morceaux égouttés
- 1 mangue épluchée, dénoyautée et coupée en morceaux
- 125 g de lychees frais épluchés, dénoyautés et coupées en deux
- 125 ml de bouillon de volaille
- 2 cuil. à soupe de concentré de tomate
- 2 cuil. à soupe de sauce aux prunes
- 2 cuil. à soupe de vinaigre de vin
- 1 pincée de sucre roux
- noix grillées pour le décor
- riz à la vapeur pour accompagner

1 Mettez les languettes de canard dans un plat creux. Mélangez dans un petit bol la poudre de cinq-épices, la sauce de soja et l'huile de sésame. Versez le mélange sur le canard et mettez à mariner au réfrigérateur 2 heures, en arrosant de temps à autre. Égouttez et réservez.

2 Faites chauffer le wok, ajoutez l'huile et, quand elle est bien chaude, faites revenir le canard 4 minutes. Enlevez du wok et réservez.

3 Remplacez par le céleri, faites revenir 2 minutes, ajoutez l'ananas, la mangue et les lychees. Faites sauter 3 minutes en remuant. Remettez le canard dans le wok.

4 Délayez le concentré de tomate, la sauce aux prunes, le vinaigre de vin et le sucre roux dans le bouillon de volaille, mélangez bien et versez dans le wok. Amenez à ébullition et faites cuire 2 minutes. Saupoudrez de noix grillées et servez immédiatement avec du riz à la vapeur.

Une question de goût

Les fruits n'ont pas seulement un rôle appétissant, ils absorbent une partie du goût fort du canard. Il ne faut pas trop cuire le canard, car il deviendrait trop sec.

Émincé de canard teriyaki au chutney de prunes

1

2

3

INGRÉDIENTS — Pour 4 personnes

- 4 cuil. à soupe de sauce de soja japonaise
- 4 cuil. à soupe de xérès sec
- 2 gousses d'ail épluchées et hachées finement
- 1 petit morceau (2,5 cm environ) de gingembre épluché et haché finement
- 350 g de magret de canard dégraissé et coupé finement
- 2 cuil. à soupe d'huile d'arachide
- 225 g de carottes épluchées et coupées en bâtonnets
- ½ concombre en bâtonnets
- 5 petits oignons blancs épluchés en lanières
- amandes grillées pour le décor
- nouilles chinoises aux œufs pour accompagner

Pour le chutney

- 25 g de beurre
- 1 oignon rouge épluché et haché finement
- 2 cuil. à café de sucre roux
- 4 grosses prunes dénoyautées et coupées en deux
- le zeste et le jus de ½ orange
- 50 g de raisins secs

1 Mélangez la sauce de soja, le xérès, l'ail et le gingembre, versez le mélange dans un plat creux. Ajoutez les tranches de magret, remuez pour bien enrober les morceaux. Laissez mariner 30 minutes au réfrigérateur.

2 Pendant ce temps, faites le *chutney*. Faites fondre le beurre dans un wok, ajoutez l'oignon et le sucre, laissez cuire 20 minutes à feu doux. Ajoutez les prunes, le zeste et le jus d'orange et faites cuire 10 minutes avant d'ajouter les raisins secs. Versez dans un petit bol et essuyez le wok. Égouttez le canard, réservez la marinade.

3 Faites chauffer le wok, ajoutez l'huile et, quand elle est bien chaude, mettez les bâtonnets de carottes et de concombre et les petits oignons blancs à revenir 2 minutes. Enlevez du wok, réservez. Augmentez la chaleur.

4 Remplacez par le canard égoutté, faites sauter 2 minutes à feu vif, remettez les légumes, ajoutez la marinade. Faites bien revenir le tout pour réchauffer.

5 Garnissez le canard d'amandes grillées et servez immédiatement avec des nouilles et le *chutney* de prunes.

Le bon truc

Si le *chutney* est un peu trop coulant, faites bouillir 5 minutes de plus pour l'épaissir.

Poulet vapeur croustillant au citron

2

INGRÉDIENTS

Pour 6 personnes

200 ml de sauce de soja claire
1 cuil. à soupe de sucre roux
4 graines d'anis étoilé
2 tranches de gingembre frais épluché
5 petits oignons blancs épluchés en lanières
1 petite orange coupée en quartier
1 citron vert coupé en quartier
1 kg de poulet
2 gousses d'ail épluchées et hachées finement
2 cuil. à soupe de vin de riz chinois
2 cuil. à soupe de sauce de soja foncée
300 ml d'huile d'arachide
quartiers d'orange pour le décor
riz blanc vapeur pour accompagner

4

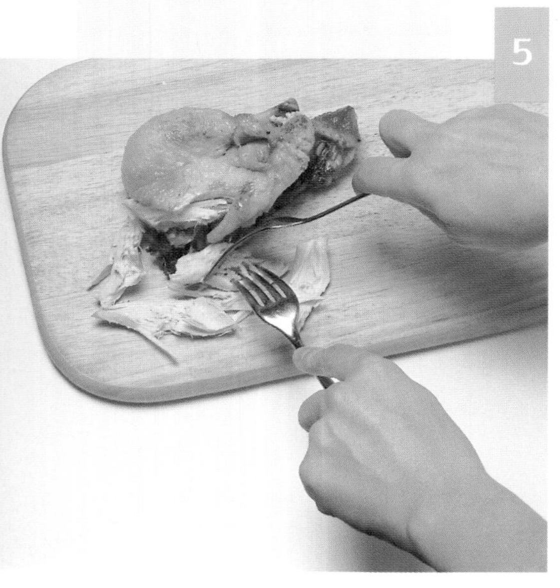
5

1 Versez la sauce de soja claire et 200 ml d'eau dans le wok, ajoutez le sucre et l'anis étoilé. Amenez à ébullition sur feu doux. Versez dans un petit bol et laissez refroidir légèrement. Essuyez le wok avec du papier absorbant.

2 Mettez le gingembre, 2 petits oignons blancs, l'orange et le citron vert à l'intérieur du poulet. Mettez le support et versez 5 cm d'eau bouillante dans le wok. Mettez une feuille d'aluminium ménager sur le support. Placez le poulet au centre puis arrosez de la sauce de soja aromatisée.

3 Couvrir le wok et faites cuire à la vapeur entre 1 heure et 1 h 10. Le poulet doit être cuit à cœur. Éliminez l'excédent de graisse de temps à autre. Ajoutez de l'eau bouillante si nécessaire. Laissez refroidir 3 heures, puis coupez le poulet en quartiers.

4 Mélangez l'ail, le vin de riz chinois, la sauce de soja foncée, les petits oignons blancs restants. Réservez. Essuyez le wok, réchauffez-le et ajoutez l'huile. Quand elle est bien chaude, faites frire le poulet 4 minutes, un quartier à la fois, jusqu'à ce qu'il soit doré et croustillant. Égouttez sur du papier absorbant.

5 Quand les quartiers sont refroidis, coupez le poulet en petits morceaux, arrosez de la sauce. Garnissez de quartiers d'orange et servez avec du riz à la vapeur.

Une question de goût

Si vous préférez, vous pouvez aussi servir avec des crêpes chinoises toutes prêtes, arrosées de sauce *hoisin*. Recouvrez de concombre en fines lanières, de vert de petit oignon blanc en lanières et enroulez.

Rouleaux de printemps aux nouilles, sauce au piment rouge

1

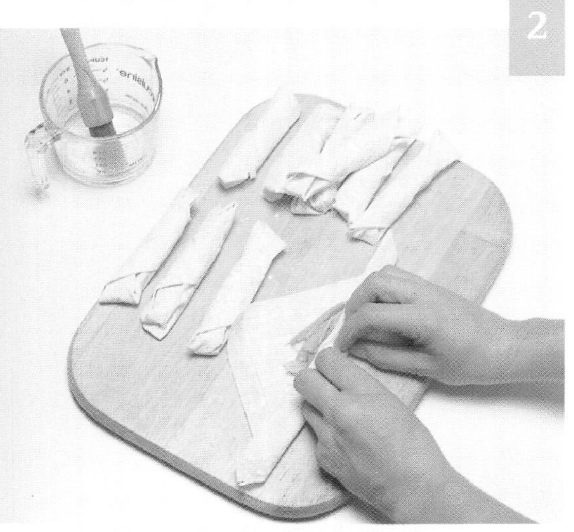

2

3

INGRÉDIENTS — Pour 30 rouleaux

50 g de vermicelles de riz
1 carotte épluchée et coupée en fines lanières
50 g de pois mangetout coupés dans la longueur
3 petits oignons blancs épluchés et hachés finement
125 g de crevettes décortiquées, éventuellement décongelées
2 gousses d'ail épluchées et écrasées
1 cuil. à café d'huile de sésame
2 cuil. à soupe de sauce de soja claire
1 cuil. à café de sauce de piment
200 g de feuilles de brick coupées en carrés de 15 cm de côté
1 œuf légèrement battu
huile végétale pour friture
feuilles de coriandre fraîche pour le décor
sauce au piment doux pour tremper

1 Faites cuire les vermicelles de riz en suivant les indications du paquet, égouttez-les, coupez-les en morceaux et réservez. Faites bouillir une casserole d'eau légèrement salée, plongez la carotte et les mangetout 1 minute. Égouttez et rafraîchir sous l'eau froide courante. Égouttez de nouveau, en terminant sur du papier absorbant. Mélangez aux nouilles. Ajoutez les oignons de printemps, les crevettes, l'ail, l'huile de sésame, la sauce de soja et la sauce de piment. Réservez.

2 Pliez les feuilles de brick en triangles, côté long devant. Déposez 1 cuillerée de farce au centre et roulez une fois le côté long sur la farce, puis les pointes pour l'enfermer et roulez encore. Enduisez la pointe d'un peu d'œuf battu et collez-la pour fermer le rouleau.

3 Remplissez un tiers du wok d'huile végétale et faites chauffer l'huile de friture à 190 °C jusqu'à ce qu'un petit cube de pain jeté dans l'huile dore en 30 secondes. Faites frire 4 à 5 rouleaux à la fois 1 à 2 minutes, jusqu'à ce qu'ils soient dorés et croustillants. Égouttez sur du papier absorbant. Lorsque tous les rouleaux sont frits, placez-les sur le plat de service, décorés de feuilles de coriandre fraîche et servez chaud avec la sauce de soja claire et la sauce de piment doux.

Le bon truc

Si possible, utilisez des feuilles spéciales pour rouleaux de printemps au lieu de feuilles de brick. Il est préférable d'acheter les feuilles les plus grandes.

Nouilles de Singapour

INGRÉDIENTS

Pour 4 personnes

- 225 g de nouilles de riz plates
- 3 cuil. à soupe d'huile de tournesol
- 2 échalotes épluchées et coupées finement
- 2 gousses d'ail écrasées
- 2 cuil. à soupe de gingembre frais râpé
- 1 poivron rouge épépiné et coupé en fines lanières
- 1 piment rouge épépiné et haché finement
- 175 g de crevettes crues
- 125 g de porc désossé, en dés
- 175 g de blanc de poulet désossé, en dés
- 1 cuil. à soupe de curry en poudre
- 1 cuil. à café de graines de fenouil écrasées
- 1 cuil. à café de cannelle en poudre
- 50 g de petits pois
- le jus de 1 citron
- 3 cuil. à soupe de feuilles de coriandre fraîche

1 Plongez les nouilles dans une casserole, couvrez d'eau bouillante. Laissez tremper 3 minutes jusqu'à ce qu'elles soient *al dente*. Égouttez et réservez.

2 Faites chauffer le wok, ajoutez l'huile, faites tourner le wok pour huiler les parois et, quand elle est bien chaude, faites revenir les échalotes, l'ail, et le gingembre, laissez cuire quelques secondes. Ajoutez le poivron et le piment, faites revenir 3 à 4 minutes, jusqu'à ce que le poivron soit tendre.

3 Ajoutez les crevettes, le porc, le poulet et la poudre de curry. Faites revenir 4 à 5 minutes jusqu'à ce que la viande et les crevettes se colorent. Ajoutez les graines de fenouil et la cannelle, remuez bien.

4 Ajoutez les nouilles égouttées dans le wok ainsi que les petits pois, laissez cuire encore 1 à 2 minutes pour tout réchauffer. Arrosez du jus de citron, saupoudrez de feuilles de coriandre fraîche. Servez immédiatement.

Le bon truc

Vous pouvez prendre d'autres viandes, poissons ou crustacés. Ce plat vous permettra aussi d'utiliser des restes de viande, par exemple de rôti de bœuf. Si vous utilisez de la viande cuite, réduisez le temps de cuisson. Assurez-vous cependant que tout soit très chaud.

Salade orientale de nouilles aux cacahuètes et à la coriandre

1

2

3

INGRÉDIENTS

Pour 4 personnes

350 g de vermicelles de riz
1 l de bouillon de volaille
2 cuil. à café d'huile de sésame
2 cuil. à soupe de sauce de soja claire
8 petits oignons blancs
3 cuil. à soupe d'huile d'arachide
2 piments verts épépinés et coupés finement
25 g de coriandre fraîche ciselée
2 cuil. à soupe de menthe ciselée
125 g de concombre haché finement
40 g de germes de soja
40 g de cacahuètes grillées non salées, hachées grossièrement

1 Mettez les nouilles dans un saladier. Amenez le bouillon à ébullition et versez-le sur les nouilles. Couvrez et laissez tremper 4 minutes ou selon les indications du paquet. Égouttez, le bouillon ne servira plus pour cette recette. Mélangez l'huile de sésame et la sauce de soja, versez sur les nouilles chaudes, remuez bien et laissez refroidir.

2 Épluchez 4 petits oignons blancs, coupez-les en lanières. Dans le wok, faites chauffer l'huile à feu doux, mettez les oignons et, dès qu'ils commencent à sauter, enlevez-les et laissez-les refroidir. Quand ils sont froids, mélangez-les aux nouilles.

3 Coupez les derniers petits oignons blancs sur une planche en lacérant le vert 5 à 6 fois et en laissant le blanc entier. Jetez-les dans un grand saladier d'eau glacée pour qu'ils s'ouvrent en fleur. Servez les nouilles dans des bols individuels, saupoudrées d'un peu de piment, de concombre, de feuilles de coriandre et de menthe, de germes de soja et de cacahuètes. Garnissez de fleurs de petit oignon blanc et servez.

Le bon truc

Ce plat sera entièrement végétarien si vous faites cuire les nouilles dans du bouillon de légumes ou dans de l'eau légèrement salée.

Riz frit à la jambalaya

1

2

3

INGRÉDIENTS

Pour 6 personnes

- 450 g de riz long grain
- 900 ml de bouillon de volaille ou de court-bouillon
- 2 feuilles de laurier
- 2 cuil. à soupe d'huile végétale
- 2 oignons moyens épluchés et hachés grossièrement
- 1 poivron vert épépiné et haché grossièrement
- 2 branches de céleri épluchées et hachées grossièrement
- 3 gousses d'ail épluchées et hachées finement
- 1 cuil. à café d'origan sec
- 300 g de blanc de poulet désossé, sans peau, haché grossièrement
- 125 g de chorizo en rondelles
- 3 tomates pelées et coupées en morceaux
- 12 grosses crevettes crues décortiquées
- 4 petits oignons blancs épluchés et hachés finement
- 2 cuil. à soupe de persil haché
- sel et poivre

1 Versez le riz, le bouillon et les feuilles de laurier dans une grande casserole et amenez à ébullition. Couvrez hermétiquement et laissez cuire 10 minutes à feu très doux. Éloignez du feu et laissez couvert 10 autres minutes.

2 Pendant ce temps, faites chauffer le wok, versez l'huile et, quand elle est bien chaude, ajoutez les oignons, le poivron vert, le céleri, l'ail et l'origan. Faites revenir 6 minutes, jusqu'à ce que les légumes soient tendres. Ajoutez alors le poulet et le chorizo, faites revenir 6 minutes, jusqu'à ce que le poulet commence à se colorer.

3 Ajoutez les tomates et laissez cuire à feu moyen 2 à 3 minutes, jusqu'à ce qu'elles s'écrasent. Puis ajoutez les crevettes et laissez cuire 4 minutes avant de verser le riz cuit, les petits oignons blancs et le persil haché. Rectifiez l'assaisonnement. Servez immédiatement.

Une question de goût

Il faut utiliser du gros chorizo assez gras. Les saucisses fines qui lui ressemblent ont moins de goût.

Poulet au poivron rouge et riz au curry

2

4

6

INGRÉDIENTS

Pour 4 personnes

350 g de riz long grain
sel
1 blanc d'œuf
1 cuil. à soupe de Maïzena
300 g de blanc de poulet sans peau, coupé en morceaux
3 cuil. à soupe d'huile d'arachide
1 poivron rouge épépiné et haché grossièrement
1 cuil. à soupe de curry en poudre ou en pâte
125 ml de bouillon de volaille
1 cuil. à café de sucre
1 cuil. à soupe de vin de riz chinois ou de xérès sec
1 cuil. à soupe de sauce de soja claire
feuilles de coriandre fraîche pour le décor

1 Lavez le riz dans plusieurs eaux jusqu'à ce que la dernière soit claire. Égouttez. Mettez dans une casserole, couvrez d'eau fraîche. Salez et amenez à ébullition. Laissez cuire 7 à 8 minutes jusqu'à ce que le riz soit tendre. Égouttez, rafraîchir sous l'eau courante, égouttez à nouveau et réservez.

2 Dans un plat creux, battez légèrement le blanc d'œuf avec 1 cuillerée de sel et 2 cuillerées à café de Maïzena. Ajoutez le poulet et mélangez bien. Couvrez et mettez au réfrigérateur 20 minutes.

3 Faites chauffer le wok, versez l'huile et quand elle est chaude, ajoutez le poulet et faites revenir 2 à 3 minutes, jusqu'à ce que le poulet soit blanc. Enlevez du wok à l'écumoire, puis égouttez sur du papier absorbant.

4 Réchauffez le wok à feu vif, ajoutez le poivron rouge, le curry et faites cuire 30 secondes. Versez le bouillon de volaille, le sucre, le vin de riz chinois et la sauce de soja.

5 Délayez le reste de la Maïzena dans 1 cuillerée d'eau froide, versez dans le wok et remuez. Amenez à ébullition, faites cuire doucement 1 minute.

6 Remettez le poulet dans le wok, faites cuire encore 1 minute avant d'ajouter le riz. Baissez le feu, remuez 2 minutes pour réchauffer. Garnissez de feuilles de coriandre fraîche et servez.

Salade de nouilles au porc

INGRÉDIENTS — Pour 4 personnes

- 200 g de nouilles de riz plates
- 4 cuil. à soupe de caramel liquide
- 2 cuil. à soupe de sauce de soja foncée
- 3 cuil. à soupe de vin de riz chinois ou de xérès sec
- 3 graines d'anis étoilé écrasées grossièrement
- 1 bâton de cannelle
- 350 g de filet mignon de porc
- 1 cuil. à soupe d'huile d'arachide
- 2 gousses d'ail épluchées et hachées finement
- 1 cuil. à café de gingembre râpé
- 3 petits oignons blancs épluchés et coupés finement
- 125 g de chou chinois haché grossièrement
- 2 cuil. à soupe de sauce de soja claire
- feuilles de coriandre fraîche pour le décor
- sauce aux prunes (voir p. 172) pour accompagner

1 Préchauffez le four à 220 °C (th. 7) 15 minutes. Arrosez les nouilles d'eau bouillante, selon les indications du paquet. Égouttez et réservez. Versez le caramel liquide, la sauce de soja, le vin de riz chinois, les graines d'anis étoilé et la cannelle dans une petite casserole. Chauffez doucement en remuant. Réservez.

2 Dégraissez la viande, mettez-la dans un plat creux, versez le contenu de la casserole sur la viande. Retournez pour que le filet mignon soit bien enrobé de sauce. Mettez au réfrigérateur et laissez mariner 4 heures en retournant de temps à autre.

3 Enlevez le filet mignon de porc de sa marinade, posez-le sur la grille du four préchauffé et rôtissez 12 à 14 minutes en tournant une fois. Retirez du four et attendre que le porc soit juste chaud.

4 Faites chauffer le wok, ajoutez l'huile et, quand elle est bien chaude, mettez l'ail, le gingembre et les petits oignons blancs. Faites revenir 30 secondes avant d'ajouter le chou chinois. Faites revenir 1 minute, jusqu'à ce que le chou soit tendre. Ajoutez les nouilles et la sauce de soja. Remuez vivement quelques secondes pour bien mélanger le tout, versez dans un grand plat de service. Laissez refroidir.

5 Coupez le filet mignon en grosses tranches, posez sur les nouilles froides, garnissez de feuilles de coriandre fraîche et servez accompagné de sauce aux prunes.

Une question de goût

En été, faire cuire le filet mignon au barbecue, ce qui lui donne une saveur fumée très agréable.

Gâteaux de riz thaï à la sauce de mangue

INGRÉDIENTS — Pour 4 personnes

225 g de riz parfumé thaï
400 g de lait de coco
1 tige de citronnelle écrasée
2 feuilles de citronnier kaffir en morceaux
1 cuil. à soupe d'huile végétale
1 gousse d'ail épluchée et hachée finement
1 cuil. à café de gingembre frais râpé
1 poivron rouge épépiné, haché finement et 2 piments rouges épépinés, hachés finement
1 œuf battu
25 g de chapelure fraîche

Pour la sauce de mangue
1 grosse mangue mûre épluchée, dénoyautée et coupée finement en morceaux
1 petit oignon rouge épluché et haché finement
2 cuil. à soupe de coriandre fraîche ciselée
2 cuil. à soupe de basilic ciselé
le jus de 1 citron vert

1 Lavez le riz dans plusieurs eaux jusqu'à ce que la dernière soit claire. Égouttez, mettez dans une casserole pouvant fermer hermétiquement, ajoutez le lait de coco, la citronnelle et les feuilles de citronnier kaffir. Amenez à ébullition, couvrez et laissez cuire 10 minutes à feu très doux. Éteignez le feu et laissez reposer 10 minutes sans soulever le couvercle.

2 Faites chauffer le wok, ajoutez 1 cuillerée d'huile et, quand elle est bien chaude, mettez l'ail, le gingembre, le poivron rouge et la moitié du piment à revenir 1 à 2 minutes jusqu'à ce que les poivrons commencent à s'attendrir. Versez dans un grand saladier.

3 Quand le riz est cuit, versez dans le saladier et ajoutez l'œuf. Assaisonnez de sel et de poivre et mélangez bien. Versez la chapelure dans un petit plat creux. Former 8 boulettes de riz, roulez-les dans la chapelure, laissez reposer au réfrigérateur 30 minutes.

4 Faites la sauce à la mangue. Mélangez les morceaux de mangue, l'oignon rouge, la coriandre, le basilic, le jus de citron vert et le reste du piment. Réservez.

5 Remplissez un tiers du wok d'huile végétale. Faites chauffer l'huile de friture à 190 °C (un petit cube de pain doit dorer en 30 secondes). Faites frire les gâteaux de riz, un ou deux à la fois, 2 à 3 minutes, jusqu'à ce qu'ils soient dorés et croustillants. Égouttez sur du papier absorbant. Servez avec la sauce de mangue.

Riz pilaf parfumé

INGRÉDIENTS Pour 4 à 6 personnes

- 50 g de beurre
- 6 graines de cardamome
- 1 bâton de cannelle
- 2 feuilles de laurier
- 450 g de riz basmati
- 600 ml de bouillon de volaille
- 1 oignon épluché et haché finement
- 50 g d'amandes émondées et effilées
- 50 g de pistaches hachées grossièrement
- 125 g de figues sèches hachées grossièrement
- 50 g d'abricots secs hachées grossièrement
- 275 g de blanc de poulet sans peau, coupé en morceaux
- sel et poivre
- persil et coriandre fraîche ciselés pour le décor

1 Faites fondre la moitié du beurre dans une casserole fermant hermétiquement. Ajoutez la cardamome et le bâton de cannelle, faites revenir 30 secondes avant de mettre le riz et les feuilles de laurier. Remuez bien pour que le riz soit bien enrobé de beurre parfumé, puis versez le bouillon. Amenez à ébullition, couvrez hermétiquement, faites cuire à feu très doux 15 minutes. Laissez à couvert 5 minutes supplémentaires, hors du feu.

2 Faites fondre le reste du beurre dans un wok. Quand il mousse, ajoutez les oignons, les amandes et les pistaches. Remuez 3 à 4 minutes jusqu'à ce que les noix commencent à brunir. Éloignez de la source de chaleur et réservez.

3 Réduisez la chaleur, ajoutez les figues, les abricots secs et le poulet. Continuez de cuire en remuant 7 à 8 minutes, jusqu'à ce que le poulet soit bien cuit. Remettez le mélange de noix et remuez bien.

4 Éloignez de la source de chaleur, enlevez la cannelle et les feuilles de laurier. Ajoutez le riz cuit, mélangez bien. Assaisonnez de sel et de poivre. Garnissez de feuilles de persil et de coriandre et servez immédiatement.

Une question de goût

Pour réaliser un délicieux pilaf végétarien aux fruits, il suffit d'éliminer le poulet, en réduisant d'autant le temps de cuisson.

Riz à la courge et à la sauge

1

2

5

INGRÉDIENTS Pour 4 à 6 personnes

450 g de courge jaune
75 g de beurre
1 petit oignon épluché et haché finement
3 gousses d'ail épluchées et écrasées
2 cuil. à soupe de sauge hachée
1 l de bouillon de légumes ou de volaille
450 g de riz arborio (ou riz rond)
50 g de pignons grillés
25 g de parmesan fraîchement râpé
sel et poivre
ciboulette pour le décor

1 Épluchez la courgette, coupez-la en deux dans la longueur, enlevez les pépins et la chair spongieuse du centre. Coupez le reste en petits cubes et réservez.

2 Faites chauffer le wok, faites fondre le beurre et, quand il mousse, ajoutez l'oignon, l'ail et la sauge. Remuez bien 1 minute.

3 Ajoutez la courge. Faites sauter 10 à 12 minutes. Quand la courge est tendre, éloignez de la source de chaleur.

4 Pendant ce temps, amenez le bouillon de légumes ou de volaille à ébullition, versez le riz en pluie. Laissez cuire 8 à 10 minutes jusqu'à ce qu'il soit tout juste tendre mais pas trop sec.

5 Ajoutez le riz cuit à la courge. Salez et poivrez. Parsemez de pignons grillés. Saupoudrez de parmesan frais, garnissez de brins de ciboulette et servez immédiatement.

Un peu d'info

On trouve de la courge jaune presque toute l'année dans les magasins de produits exotiques. Sa chair goûteuse et brillante est plus sèche que celle du potiron, vous pouvez utiliser d'autres courges en suivant les instructions ci-dessus.

Riz basmati au safran et aux fèves

1

3

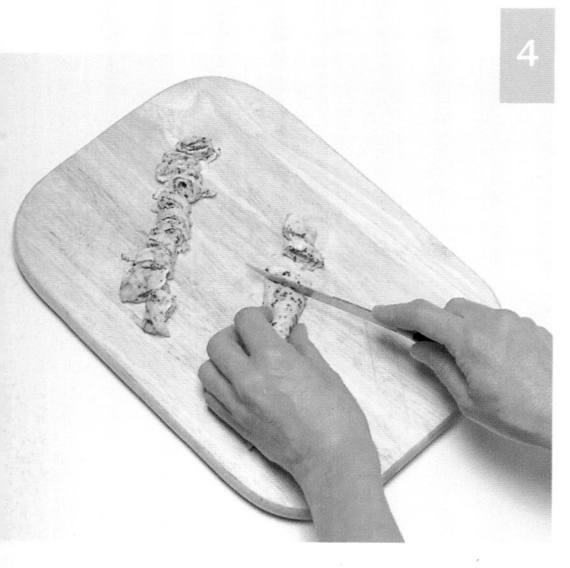

4

INGRÉDIENTS

Pour 4 personnes

- 1 œuf
- 3 cuil. à soupe d'huile d'olive
- 1 cuil. à soupe d'herbes aromatiques en mélange
- sel et poivre
- 200 g de riz basmati
- 50 g de beurre
- 1 petit oignon épluché et haché finement
- 1 gousse d'ail épluchée et hachée finement
- 1 grosse pincée de filaments de safran
- 225 g de fèves écossées et blanchies

1 Battez l'œuf avec 1 cuillerée à café d'huile d'olive et les herbes. Assaisonnez légèrement de sel et de poivre. Chauffez 1 cuillère à café d'huile d'olive dans une poêle ou un petit wok à friture. Versez la moitié de l'œuf et faites tourner le récipient pour que le fond s'imprègne uniformément. Laissez prendre, retournez la crêpe et faites dorer 30 secondes de l'autre côté. Transférez sur une assiette. Répétez l'opération avec le reste d'œuf.

2 Lavez le riz dans plusieurs eaux, jusqu'à ce que la dernière soit claire. Faites bouillir une grande casserole d'eau, versez-y le riz et faites-le cuire 12 à 15 minutes. Égouttez et réservez.

3 Faites chauffer le beurre avec le reste d'huile dans un wok, ajoutez l'oignon et l'ail. Faites cuire doucement 3 à 4 minutes. Quand l'oignon est tendre, ajoutez le safran et mélangez bien. Puis versez le riz cuit et égoutté, remuez avant d'ajouter les fèves. Laissez cuire encore 2 à 3 minutes en remuant, jusqu'à ce que tout soit bien chaud.

4 Roulez les crêpes sur elles-mêmes, tranchez-les en lanières. Pour servir, répartissez le riz au safran sur des assiettes individuelles, accompagné des lanières enroulées.

Un peu d'info

Le safran est cher et vendu en très petite quantité (souvent en poudre plutôt qu'en filaments). Il donne aux plats une belle couleur jaune orangé et une saveur très particulière. Avant de les utiliser, écrasez les filaments dans un mortier.

Riz frit thaï aux crevettes et aux piments

2

3

4

INGRÉDIENTS — Pour 4 personnes

350 g de riz parfumé thaï
2 cuil. à soupe d'huile d'arachide ou autre huile végétale
2 gousses d'ail épluchées et hachées finement
2 piments rouges épépinés et hachés finement
125 g de crevettes crues
1 cuil. à soupe de sauce de poisson thaï
¼ cuil. à café de sucre
1 cuil. à soupe de sauce de soja claire
½ oignon épluché et coupé finement
½ poivron rouge épépiné et coupé finement
le vert de 1 oignon de printemps coupé en lanières
feuilles de coriandre fraîche pour le décor

1 Lavez le riz dans plusieurs eaux jusqu'à ce que la dernière soit claire. Égouttez bien. Faites bouillir une grande casserole d'eau, versez le riz et faites-le cuire 12 à 15 minutes, jusqu'à ce qu'il soit tendre. Égouttez et réservez.

2 Faites chauffer le wok, ajoutez l'huile et, quand elle est bien chaude, ajoutez l'ail, faites revenir 20 secondes. Ajoutez les piments et les crevettes, faites revenir 2 à 3 minutes.

3 Versez la sauce de poisson, le sucre et la sauce de soja. Faites revenir encore 30 secondes, jusqu'à ce que les crevettes soient roses et cuites.

4 Remettez le riz cuit, mélangez bien. Puis ajoutez l'oignon, le poivron rouge et l'oignon de printemps. Laissez cuire encore 1 minute en remuant, puis versez sur le plat de service, garnissez de feuilles de coriandre et servez sans attendre.

Un peu d'info

Le riz parfumé thaï ou riz au jasmin est un riz long grain assez similaire au riz basmati (mais dont la cuisson demande quelques minutes de plus). En cuisine chinoise et thaïlandaise, on préfère le laver à grande eau avant de le faire bouillir dans beaucoup d'eau. On peut aussi le faire cuire en pilaf (voir p. 190).

Riz épicé à la tomate

INGRÉDIENTS — Pour 2 à 3 personnes

225 g de riz basmati
40 g de beurre
4 graines vertes de cardamome
2 graines d'anis étoilé
4 clous de girofle
10 grains de poivre
1 bâton de cannelle de 5 cm
1 gros oignon rouge épluché et coupé finement
175 g de tomates en boîte coupées en morceaux
sel et poivre
feuilles de coriandre fraîche pour le décor

1 Lavez le riz dans plusieurs eaux jusqu'à ce que la dernière soit claire. Égouttez bien. Versez-le dans un récipient et couvrez d'eau. Laissez tremper 30 minutes. Égouttez et réservez.

2 Dans le wok chaud, faites fondre le beurre et mettez la cardamome ouverte, l'anis étoilé, les clous de girofle, les grains de poivre et le bâton de cannelle dans le beurre chaud. Laissez 30 secondes, puis augmentez la température, ajoutez l'oignon. Faites revenir 7 à 8 minutes jusqu'à ce qu'il commence à prendre couleur. Ajoutez le riz égoutté et faites cuire 2 à 3 minutes.

3 Passez les tomates au tamis, ajoutez suffisamment d'eau pour obtenir 450 ml de liquide. Versez-le dans le wok, salez et amenez à ébullition.

4 Couvrez, réduisez la chaleur et faites cuire très doucement 10 minutes. Éloignez le wok de la source de chaleur, laissez reposer 10 minutes. Il ne faut pas soulever le couvercle pendant la cuisson ni le repos. Découvrez, mélangez bien à la fourchette, en égrenant le riz. Faites réchauffer 1 minute. Garnissez de feuilles de coriandre et servez immédiatement.

Le bon truc

Les épices entières ne sont pas destinées à être consommées. Elles doivent être enlevées avant le service.

Nouilles au poulet

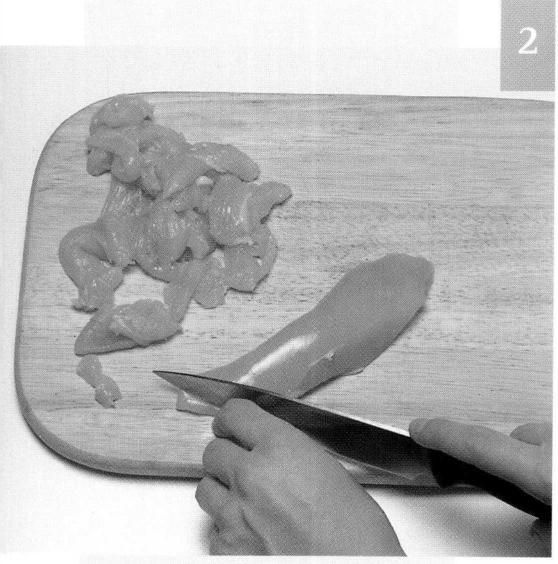

INGRÉDIENTS — Pour 2 à 3 personnes

225 g de nouilles aux œufs plates
125 g de blanc de poulet désossé, sans peau
1 cuil. à soupe de sauce de soja claire
2 cuil. à café de vin de riz chinois ou de xérès sec
5 cuil. à café d'huile d'arachide
2 gousses d'ail épluchées et hachées finement
50 g de pois mangetout
25 g de lard de poitrine fumé en fines tranches
½ cuil. à café de sucre
2 petits oignons blancs épluchés et hachés finement
1 cuil. à café d'huile de sésame

1 Faites cuire les nouilles selon les indications du paquet. Égouttez et rafraîchissez-les sous l'eau froide courante. Égouttez de nouveau et réservez.

2 Émincez le poulet en fines languettes. Arrosez avec la moitié de la sauce de soja et le vin de riz chinois mélangés. Faites mariner au réfrigérateur 10 minutes.

3 Faites chauffer le wok, ajoutez 2 cuillerées à café d'huile et, quand elle est bien chaude, faites revenir le poulet 2 minutes. Versez dans une assiette. Essuyez le wok avec du papier absorbant.

4 Remettez le wok à chauffer, ajoutez le reste de l'huile d'arachide, faites revenir l'ail 10 secondes, puis les pois mangetout et le lard de poitrine. Faites sauter 1 minute, ajoutez les nouilles égouttées, le reste de la sauce de soja, le sucre et les petits oignons blancs. Faites sauter 2 minutes avant d'ajouter le poulet.

5 Poursuivez la cuisson encore 3 à 4 minutes jusqu'à ce que le poulet soit bien cuit. Ajoutez l'huile de sésame, mélangez bien et servez chaud ou froid.

Un peu d'info

Chow mein signifie littéralement « nouilles sautées ». Il n'y a pas de règles strictes sur les légumes, la viande ou le poisson à utiliser. On peut aussi faire une salade savoureuse en servant le *chow mein* froid.

Nouilles à la sauce de haricots

1

2

3

INGRÉDIENTS — Pour 4 personnes

250 g de nouilles aux œufs
1 ½ cuil. à soupe d'huile de sésame
1 cuil. à soupe d'huile d'arachide
3 gousses d'ail épluchées et hachées finement
4 petits oignons blancs épluchés et hachés finement
450 g de viande de porc hachée
100 ml de sauce de haricots jaunes
1 à 2 cuil. à café de sauce de piment
1 cuil. à soupe de vin de riz chinois ou de xérès sec
2 cuil. à soupe de sauce de soja foncée
½ cuil. à café de poivre de Cayenne
2 cuil. à café de sucre
150 ml de bouillon de volaille

1 Mettez les nouilles dans un grand saladier, couvrez-les d'eau bouillante, laissez tremper selon les indications du paquet, jusqu'à ce qu'elles soient tendres. Égouttez, mettez dans un saladier avec l'huile de sésame, mélangez et réservez.

2 Faites chauffer le wok, ajoutez l'huile d'arachide et, quand elle est bien chaude, faites revenir l'ail et la moitié des petits oignons blancs quelques secondes. Ajoutez le hachis de porc, mélangez bien et continuez la cuisson 1 à 2 minutes jusqu'à ce que la viande ait changé de couleur.

3 Ajoutez la sauce de haricots jaunes et la sauce de piment, le vin de riz chinois ou le xérès, la sauce de soja, le poivre de Cayenne, le sucre et le bouillon. Amenez à ébullition sans cesser de remuer. Réduire alors la chaleur et laissez cuire 5 minutes.

4 Pendant ce temps, amenez une grande casserole d'eau à ébullition, versez les nouilles et laissez-les dans l'eau 20 secondes. Égouttez à fond et versez dans un plat de service. Versez la sauce par-dessus, garnissez du vert de petit oignon blanc restant, haché grossièrement, et servez immédiatement.

Un peu d'info

La sauce de haricots jaunes est une préparation épaisse à base de haricots jaunes, de farine et de sel fermentés ensemble. Elle est assez salée mais ajoute une saveur très particulière à la cuisine. On la trouve sous deux formes : haricots entiers ou haricots écrasés, la première tendant à être moins salée.

Soupe de nouilles au bœuf

1

INGRÉDIENTS Pour 4 personnes

900 g de bœuf à braiser
1 bâton de cannelle
2 graines d'anis
2 cuil. à soupe de sauce de soja claire
2 zestes de citrons en dés (facultatif)
1 l de bouillon de volaille
350 g de nouilles aux œufs
2 petits oignons blancs épluchés et hachés pour le décor
pain de campagne en tranches pour accompagner

2

1 Dégraissez la viande, coupez-la en fines languettes. Mettez la viande, la cannelle, l'anis, la sauce de soja, les piments, le zeste de citron et le bouillon dans le wok. Amenez à ébullition, puis réduisez la chaleur. Écumez, couvrez et laissez cuire 1 h 30 jusqu'à ce que la viande soit tendre.

2 Pendant ce temps, amenez à ébullition une casserole d'eau légèrement salée, ajoutez les nouilles et laissez bouillir 3 à 4 minutes, selon les indications du sachet. Égouttez bien et réservez.

3

3 Quand la viande est cuite, versez les nouilles dans le wok, laissez cuire encore 1 à 2 minutes pour qu'elles se réchauffent. Versez les nouilles et le bouillon dans des bols individuels, garnissez de vert d'oignon haché et servez éventuellement avec des tranches de pain de campagne.

Le bon truc

Il vaut mieux utiliser ici de la viande à braiser (paleron, gîte, etc.) qui donnera un goût savoureux au bouillon. De la viande à beefsteak deviendrait sèche et élastique, après une cuisson aussi longue.

Soupe de nouilles au poulet

1

2

3

INGRÉDIENTS Pour 4 personnes

la carcasse d'un poulet moyen
1 grosse carotte épluchée et hachée grossièrement
1 oignon moyen pelé et coupé en quartiers
1 poireau épluché et coupé en rondelles
2 à 3 feuilles de laurier
quelques grains de poivre entiers
1 cuil. à café de sel
2 l d'eau
225 g de chou chinois en lanières
50 g de champignons de Paris essuyés et coupés finement
125 g de poulet cuit coupé en dés ou en lamelles
50 g de nouilles aux œufs assez fines

1 Coupez la carcasse du poulet en petits morceaux, mettez-les dans le wok avec la carotte, l'oignon, le poireau, les feuilles de laurier, les grains de poivre, le sel et l'eau. Amenez lentement à ébullition. Enlevez la mousse qui se forme à la surface les 15 premières minutes d'ébullition. Puis réduire la chaleur et laissez cuire doucement 1 h 30. Si le liquide réduit de plus d'un tiers, ajoutez un peu d'eau.

2 Éloignez de la source de chaleur et laissez refroidir. Versez dans la passoire au-dessus d'un grand saladier, placez au réfrigérateur quelques heures. Quand toute la graisse est montée en surface, dégraissez le bouillon. Pour finir, passez une feuille de papier absorbant à la surface pour enlever les derniers résidus de graisse.

3 Remettez le bouillon dans le wok et amenez à ébullition. Ajoutez le chou en lanières, les champignons, le poulet et faites cuire doucement 7 à 8 minutes jusqu'à ce que les légumes soient tendres.

4 Pendant ce temps, faites cuire les nouilles selon les indications du sachet. Égouttez, répartir dans 4 bols individuels, arrosez de bouillon et surmontez de légumes. Servez immédiatement.

Le bon truc

Voilà un excellent moyen d'utiliser des restes de poulet rôti. Décorez éventuellement chaque bol d'une feuille de coriandre fraîche.

Salade de nouilles croustillantes

1

2

3

INGRÉDIENTS — Pour 4 personnes

2 cuil. à soupe de graines de tournesol
2 cuil. à soupe de graines de citrouille
50 g de vermicelle de riz ou de nouilles chinoises à frire
175 g de beurre
2 cuil. à soupe de graines de sésame légèrement grillées
125 g de chou rouge en lanières
1 poivron orange épépiné et haché finement
125 g de champignons de Paris essuyés et coupés en quatre
2 petits oignons blancs épluchés et hachés finement
sel et poivre
gingembre confit ou au vinaigre en fines lanières pour le décor

1 Préchauffez le four à 200 °C (th. 6). Étalez les graines de tournesol et de citrouille sur la plaque et grillez 10 à 15 minutes au four en remuant de temps à autre. Sortir du four et laissez refroidir.

2 Brisez le vermicelle en petits morceaux (par exemple avec un rouleau ou un marteau, en l'enfermant dans un sac plastique ou directement dans le sachet). Réservez. Faites fondre le beurre dans une petite casserole et laissez refroidir quelques minutes. Versez le liquide clair dans un petit bol en éliminant le résidu solide et laiteux.

3 Faites chauffer le beurre clarifié dans un wok, faites frire les nouilles par petites quantités, jusqu'à ce qu'elles soient dorées, en remuant constamment. Égouttez à l'écumoire et déposez les nouilles sur du papier absorbant. Transférez-les dans un saladier avec les graines grillées.

4 Mélangez les lanières de chou rouge, le poivron orange, les champignons et les petits oignons blancs dans un grand saladier, assaisonnez de sel et de poivre. Juste avant de servir, ajoutez les nouilles et les graines grillées et mélangez doucement. Garnissez de gingembre confit et servez.

Le bon truc

Il ne faut pas faire attendre cette salade de nouilles grillées car l'humidité des légumes enlèvera vite leur croustillant. On peut ajouter quelques gouttes de vinaigre balsamique ou de citron.

Soupe de nouilles thaï aux crevettes épicées

INGRÉDIENTS — Pour 4 personnes

- 225 g de crevettes crues
- 1 cuil. à soupe d'huile d'arachide ou d'huile végétale
- 2 gousses d'ail épluchées et écrasées
- 1 piment rouge épépiné et haché finement
- 1 cuil. à soupe de gingembre frais râpé
- 4 petits oignons blancs épluchés et coupés finement
- 1 l de bouillon de volaille
- 1 feuille de citronnier kaffir en lanières
- 1 tige de citronnelle débarrassée de sa pelure supérieure et coupée finement
- 75 g de champignons parfumés en tranches
- 125 g de nouilles aux œufs
- 50 g de laitue en lanières
- 75 g de germes de soja

1 Décortiquez les crevettes en laissant la queue. Ouvrez-les presque en deux en éliminant la veine noire qui se trouve à l'arrière. Lavez rapidement et égouttez sur du papier absorbant. Réservez.

2 Faites chauffer le wok, ajoutez l'huile et, quand elle est bien chaude, mettez l'ail, le piment, le gingembre et les petits oignons blancs à revenir 30 secondes. Ajoutez les crevettes et faites sauter 1 minute.

3 Versez le bouillon de volaille, ajoutez la feuille de citronnier kaffir et la citronnelle. Amenez à ébullition. Réduisez la chaleur, faites cuire 10 minutes en ajoutant les champignons après 7 à 8 minutes.

4 Pendant ce temps, faites cuire les nouilles dans une grande casserole d'eau bouillante légèrement salée, en suivant les indications du sachet. Égouttez soigneusement. Ajoutez-les au bouillon ainsi que la laitue et les germes de soja. Ramenez l'ébullition, faites cuire 30 secondes. Répartissez dans 4 bols individuels et servez immédiatement.

Un peu d'info

Les feuilles de citronnier kaffir font partie intégrante de la cuisine thaïlandaise à laquelle elles confèrent une saveur citronnée et un peu âcre. Le zeste du fruit du citronnier kaffir a à peu près le même goût, ce qui n'est pas le cas du citron ou du citron vert d'Europe avec lesquels il ne faut pas le confondre. On trouve les feuilles de citronnier kaffir en sachet ou en branche dans les épiceries asiatiques. Elles se congèlent très bien.

Salade de nouilles aux fruits de mer

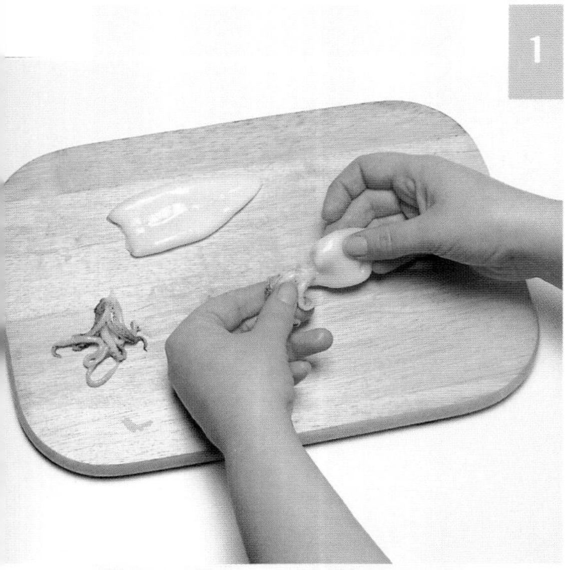
1

2

3

INGRÉDIENTS — Pour 4 personnes

- 8 petits poulpes ou calmars
- 2 cuil. à soupe de mirin (vin chinois)
- 2 cuil. à soupe de vinaigre de riz
- 4 cuil. à soupe d'huile de tournesol
- 1 piment rouge épépiné et haché finement
- 2 gousses d'ail épluchées et écrasées
- 6 petits oignons blancs épluchés et coupés finement
- 1 poivron rouge épépiné et coupé finement
- 1 cuil. à soupe de curcuma
- 2 cuil. à soupe de graines de coriandre écrasées
- 8 crevettes crues décortiquées
- 175 g de nouilles aux œufs
- 175 g de chair de crabe blanche
- 50 g de germes de soja
- sel et poivre

1 Coupez en une fois les tentacules des poulpes, réservez-les. Ouvrez les corps sur le côté et mettez-les à plat.

2 Avec un couteau bien affûté, faites des marques en diagonale dans les deux sens dans le blanc de poulpe, sans trancher entièrement. Mettez-les ensuite dans un bol avec les tentacules, le mirin, le vinaigre de riz, la moitié de l'huile et le piment. Faites mariner au réfrigérateur 1 heure.

3 Faites chauffer le wok, ajoutez l'huile restante et, quand elle est bien chaude, ajoutez l'ail, la moitié des petits oignons blancs et le poivron rouge. Faites sauter 1 minute, ajoutez le curcuma et la coriandre. Faites revenir encore 30 secondes avant d'ajouter les poulpes et leur marinade ainsi que les crevettes. Amenez à ébullition, faites cuire 2 à 3 minutes, jusqu'à ce que les poulpes et les crevettes soient tendres. Éloignez du feu et faites refroidir.

4 Faites cuire les nouilles 3 à 4 minutes dans de l'eau bouillante salée, selon les indications du sachet. Égouttez bien et mettez-les dans un grand saladier de service avec la chair de crabe, les poulpes et les crevettes refroidis. Mélangez et laissez refroidir. Juste avant de servir, ajoutez les germes de soja et le reste des petits oignons blancs et assaisonnez.

Le bon truc

On trouve les petits poulpes nettoyés au rayon poissonnerie des grandes surfaces. Si vous n'en trouvez pas, remplacez-les par un grand calamar de 350 g et demandez au poissonnier de le nettoyer pour vous. Traitez-le ensuite comme décrit à l'étape 1. Mais au lieu de le taillader, coupez la chair blanche en carrés de 5 cm de côté. Utilisez ensuite de la même manière que les petits poulpes.

Riz frit à la chinoise

2

3

4

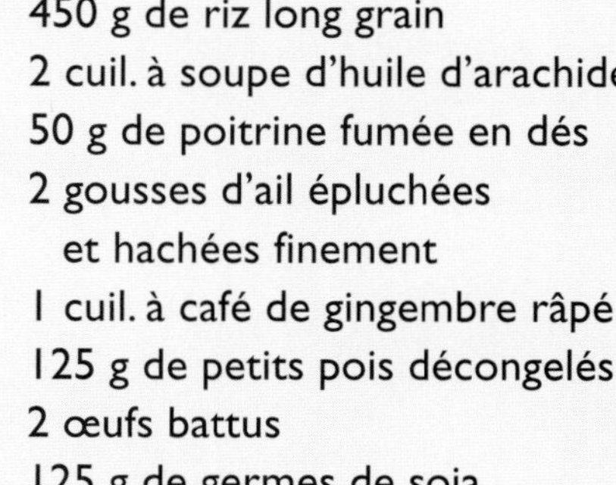

INGRÉDIENTS — Pour 4 personnes

450 g de riz long grain
2 cuil. à soupe d'huile d'arachide
50 g de poitrine fumée en dés
2 gousses d'ail épluchées et hachées finement
1 cuil. à café de gingembre râpé
125 g de petits pois décongelés
2 œufs battus
125 g de germes de soja
sel et poivre

Pour le décor
50 g de cacahuètes grillées et hachées grossièrement
3 petits oignons blancs épluchés et taillés finement dans la longueur

1 Lavez le riz dans plusieurs eaux jusqu'à ce que la dernière soit claire. Égouttez bien. Versez dans une grande casserole, couvrez d'eau à 1 cm au-dessus du riz et amenez à ébullition. Dès qu'il bout, couvrez hermétiquement et faites-le cuire 10 minutes. Éloignez de la source de chaleur et laissez reposer 10 minutes sans soulever le couvercle. Laissez refroidir, mélangez à la fourchette pour décoller les grains.

2 Faites chauffer le wok, ajoutez l'huile et, quand elle est bien chaude, faites revenir les dés de poitrine fumée 1 minute. Ajoutez l'ail et le gingembre, faites sauter en remuant 30 secondes.

3 Ajoutez le riz cuit et les petits pois, faites revenir 5 minutes à feu vif sans cesser de remuer.

4 Ajoutez les œufs battus et les germes de soja, continuez la cuisson 2 minutes jusqu'à ce que les œufs aient pris. Assaisonnez de sel et de poivre. Versez dans un plat de service et garnissez de morceaux de cacahuètes et de vert de petit oignon blanc en lanières. Servez chaud ou froid.

Une question de goût

Ce riz accompagnera très bien le poulet grillé, le poisson ou une viande marinée à la chinoise.

Canard glacé au miel à la sauce kumquat

INGRÉDIENTS — Pour 4 personnes

- 4 magrets de canard
- 1 cuil. à soupe de sauce de soja claire
- 1 cuil. à café d'huile de sésame
- 1 cuil. à soupe de miel liquide
- 3 cuil. à soupe de cognac
- 1 cuil. à soupe d'huile de tournesol
- 2 cuil. à soupe de sucre
- 1 cuil. à soupe de vinaigre de vin blanc
- 150 ml de jus d'orange
- 125 g de kumquats coupés finement
- 2 cuil. à café de Maïzena
- sel et poivre
- cresson pour le décor
- riz basmati et riz sauvage pour accompagner

1 Coupez les magrets en tranches fines et mettez-les dans un plat creux. Mélangez la sauce de soja, l'huile de sésame, le miel et 1 cuillerée à café de cognac. Versez sur la viande de canard, mélangez bien et faites mariner au réfrigérateur au moins 1 heure.

2 Faites chauffer le wok, ajoutez l'huile de tournesol et tournez le wok pour enduire les parois. Égouttez les tranches de canard en réservant la marinade. Quand l'huile est bien chaude, mettez les tranches de magret à revenir 2 à 3 minutes, jusqu'à ce qu'elles commencent à prendre couleur. Retirez à l'écumoire et réservez.

3 Essuyez le wok avec du papier absorbant. Mettez-y le sucre, le vinaigre et 1 cuillerée à café d'eau. Faites chauffer doucement jusqu'à ce que le sucre soit fondu, puis laissez bouillir jusqu'à obtention d'une belle couleur dorée. Versez le jus d'orange, puis le cognac. Ajoutez les tranches de kumquats et faites cuire 5 minutes.

4 Délayez la Maïzena avec 1 cuillerée d'eau froide, versez dans le wok et laissez cuire 2 à 3 minutes en remuant, jusqu'à ce que la sauce épaississe. Remettez le canard dans le wok, réchauffez 1 à 2 minutes. Salez et poivrez. Disposez sur des assiettes de service chauffées, garnies de cresson.

Un peu d'info

Le kumquat est un petit agrume qui ressemble à une orange miniature. Chair et peau sont comestibles dans ce fruit au goût à la fois sucré et acidulé. Il contient souvent beaucoup de pépins. Il est donc préférable de l'émincer pour s'en débarrasser avant usage.

Porc aux pommes

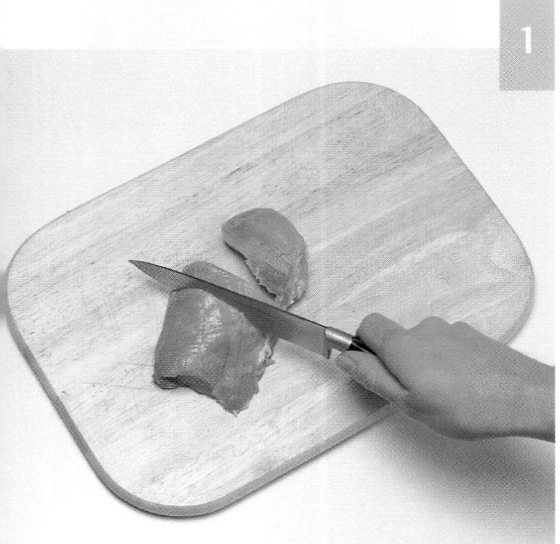
1

INGRÉDIENTS — Pour 4 personnes

350 g de filet de porc
2 cuil. à soupe de farine
sel et poivre
1 ½ cuil. à café d'huile de tournesol
15 g de beurre
2 pommes légèrement acides épluchées et coupées en tranches épaisses
2 cuil. à soupe de moutarde forte
1 cuil. à soupe de sauge fraîche
2 cuil. à soupe de calvados
4 cuil. à soupe de crème fraîche
feuilles de sauge fraîche pour le décor
haricots verts pour accompagner

3

4

1 Dégraissez le filet de porc, coupez-le en travers du grain en tranches de 1 cm d'épaisseur. Assaisonnez la farine avec le sel et le poivre, puis roulez les tranches de viande.

2 Faites chauffer le wok, ajoutez l'huile et, quand elle est bien chaude, faites cuire la viande en plusieurs fois jusqu'à ce qu'elle soit bien dorée. Égouttez et réservez.

3 Faites fondre le beurre dans le wok, mettez les tranches de pommes et cuisez-les 1 minute en remuant constamment. Ajoutez la moutarde et la sauge hachée, le calvados et la crème fraîche. Amenez à ébullition en remuant.

4 Remettez la viande dans le wok avec son jus. Faites cuire doucement 1 à 2 minutes pour réchauffer le canard ; les pommes doivent être juste cuites et la sauce bouillante. Disposez sur des assiettes chauffées, garnissez de feuilles de sauge, servez immédiatement avec des haricots verts.

Une question de goût

Vous pouvez également accompagner ce plat de chou rouge braisé : coupez finement 1 oignon et 450 g de chou rouge. Faites chauffer 2 cuillerées à soupe d'huile végétale dans une grande casserole, ajoutez l'oignon et le chou en lanières avec 1 cuillerée à soupe de graines de cumin. Cuire 10 minutes à feu doux en remuant de temps à autre. Puis ajoutez 150 ml de bouillon de légumes ou de volaille, couvrez et laissez cuire 1 heure à 1 h 30, jusqu'à ce que le chou soit tendre. Ajoutez un peu de bouillon si nécessaire.

Canapés et amuse-gueules

INGRÉDIENTS — Pour 12 personnes

Pour les canapés au fromage
6 tranches de pain de mie blanc
40 g de beurre mou
75 g de cheddar râpé
75 g de bleu écrasé (gorgonzola, stilton, fourme d'Ambert)
3 cuil. à soupe d'huile de tournesol

Pour les noix aux épices
25 g de beurre
2 cuil. à soupe d'huile d'olive
450 g de noix en mélange, non salées
1 cuil. à café de paprika en poudre
½ cuil. à café de cumin en poudre
½ cuil. à café de sel de mer fin
feuilles de coriandre fraîche pour le décor

1 Éliminez la croûte des tranches de pain de mie, écrasez le pain doucement au rouleau à pâtisserie pour l'aplatir légèrement. Beurrez légèrement, puis étalez le fromage aussi uniformément que possible.

2 Roulez les tranches sur elles-mêmes et découpez-les en 4 tranches de 2,5 cm d'épaisseur. Faites chauffer le wok, ajoutez l'huile et faites frire les canapés roulés en deux ou trois fois, en les tournant de temps à autre, jusqu'à ce qu'ils soient dorés et croustillants. Égouttez sur du papier absorbant et servez chaud ou froid.

3 Pour les noix épicées, faites fondre le beurre et l'huile dans un wok, ajoutez les noix et faites revenir à feu doux 5 minutes en remuant sans cesse jusqu'à ce qu'elles commencent à prendre couleur.

4 Saupoudrez les noix de paprika et de cumin et faites revenir 1 à 2 minutes, jusqu'à ce que les noix soient bien dorées.

5 Sortez du wok et égouttez sur du papier absorbant. Saupoudrez de sel, garnissez de feuilles de coriandre fraîche et servez-les chaudes ou froides. Si les amuse-gueules doivent attendre, conservez-les dans un récipient hermétique.

Une question de goût

Ces amuse-gueules seront parfaits pour un buffet ou un cocktail. En divisant les quantités par deux, vous les offrirez avec un apéritif ou même en entrée pour un dîner entre amis.

Agneau Kung-pao

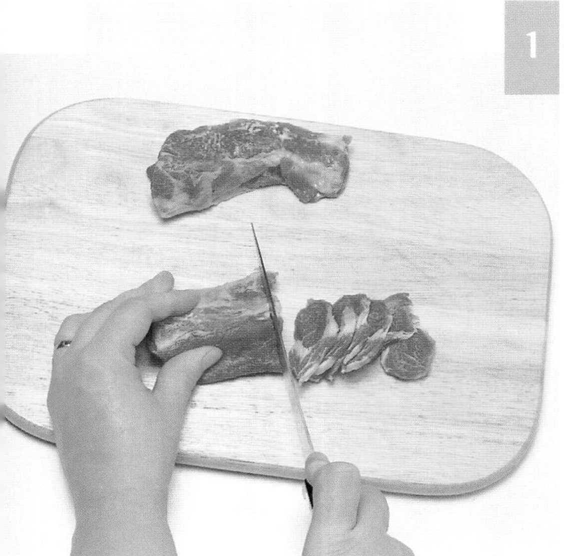

1

2

3

INGRÉDIENTS — Pour 4 personnes

450 g de filet d'agneau
3 cuil. à soupe de sauce de soja
2 cuil. à soupe de vin de riz chinois ou de xérès sec
2 cuil. à soupe d'huile de tournesol
2 cuil. à café d'huile de sésame
50 g de cacahuètes non salées
1 gousse d'ail épluchée et écrasée
1 petit morceau (2,5 cm environ) de gingembre frais haché
1 piment rouge épépiné et haché finement
1 petit poivron vert épépiné et coupé en dés
6 petits oignons blancs épluchés et coupés finement en diagonale
125 ml de bouillon de légumes ou de bouillon d'agneau
1 cuil. à café de vinaigre de vin rouge
1 cuil. à café de sucre roux
2 cuil. à café de Maïzena
riz blanc à la vapeur pour accompagner

1 Mettez l'agneau dans du papier de cuisson et placez-le dans le freezer 30 minutes pour le raidir. Coupez en tranches très fines en travers du grain de la viande. Disposez dans un plat creux avec 2 cuillerées à soupe de sauce de soja et le vin de riz chinois ou le xérès. Faites mariner au réfrigérateur 15 minutes.

2 Faites chauffer le wok, ajoutez l'huile de tournesol et faites tourner le wok pour huiler les parois. Quand l'huile est bien chaude, faites revenir l'agneau 1 minute jusqu'à ce qu'il soit légèrement doré. Retirez du wok et réservez avec le jus. Essuyez le wok.

3 Ajoutez l'huile de sésame dans le wok et faites revenir les cacahuètes, l'ail, le gingembre, le piment, le poivron vert et les petits oignons blancs 1 à 2 minutes, jusqu'à ce que les cacahuètes soient dorées. Remettez l'agneau, le reste de la sauce de soja, le bouillon, le vinaigre et le sucre.

4 Délayez la Maïzena dans 1 cuillerée à soupe d'eau froide. Ajoutez dans le wok, remuez bien 1 à 2 minutes. Quand les légumes sont cuits et que la sauce a épaissi, servez immédiatement avec du riz blanc à la vapeur.

Un peu d'info

Personne ne sait qui était Kung-Pao ; certains disent que c'était un empereur, d'autres un cuisinier fameux. Cette recette est tout ce qui reste de lui.

Riz du chef aux crevettes

1

2

5

INGRÉDIENTS — Pour 4 personnes

- 225 g de crevettes crues décortiquées
- 2 cuil. à soupe de sauce de soja claire
- 1 cuil. à café de sucre
- 1 petit morceau (2,5 cm environ) de gingembre frais épluché et râpé
- 4 œufs
- 1 pincée de sel
- 1 cuil. à soupe de coriandre fraîche hachée
- 2 cuil. à soupe de persil haché
- 3 cuil. à soupe d'huile de tournesol
- 1 botte de petits oignons blancs épluchés et coupés finement
- 350 g de riz long grain cuit
- 50 g de petits pois, éventuellement décongelés
- poivre

1 Éliminez la veine noire à l'arrière des crevettes, lavez-les, essuyez-les dans du papier absorbant. Coupez-les en deux dans la longueur et mettez-les dans un bol avec la sauce de soja, le sucre et le gingembre. Mélangez bien et réservez.

2 Battez 2 œufs avec sel, coriandre et persil hachés. Faites chauffer 1 cuillerée à soupe d'huile dans un wok sur feu doux et versez les œufs. Faites tourner le wok pour que l'omelette ait une épaisseur uniforme.

3 Faites cuire doucement, en remuant jusqu'à ce que l'omelette ait pris puis, cessez de remuer et laissez cuire encore 30 secondes jusqu'à ce que le dessous soit bien doré, mais que le dessus soit encore crémeux. Faites glisser l'omelette sur une planche à découper, laissez refroidir. Roulez sans trop serrer, coupez en tranches fines. Essuyez le wok.

4 Faites chauffer le reste de l'huile pour faire revenir les crevettes 2 à 3 minutes. Elles doivent être roses et cuites. Ajoutez les petits oignons blancs, continuez à faire cuire 1 à 2 minutes.

5 Ajoutez le riz et les pois, faites sauter 2 minutes. Battez les 2 œufs restants, versez sur le riz, remuez 30 secondes jusqu'à ce que les œufs aient pris. Servez immédiatement, en mettant des rouleaux d'omelette tranchée par-dessus.

Une question de goût

Avec des crevettes crues, cette préparation acquiert une fraîcheur que ne donneraient pas des crevettes cuites. Leur texture est bien meilleure et elles se rétractent moins que les cuites.

Poulet à la Strogonoff

1

2

3

INGRÉDIENTS Pour 4 personnes

450 g de blanc de poulet désossé et sans peau
4 cuil. à soupe de xérès sec
15 g de girolles sèches
2 cuil. à soupe d'huile de tournesol
25 g de beurre
1 oignon épluché et coupé en rondelles
225 g de petits champignons de Paris essuyés et coupés en tranches
1 cuil. à soupe de paprika
1 cuil. à café de thym frais
125 ml de bouillon de volaille
150 ml de crème fraîche
sel et poivre
brins de thym frais pour le décor

Pour accompagner
crème fraîche
riz ou nouilles aux œufs chinoises

1 Coupez le poulet en languettes et réservez. Faites chauffer doucement le xérès dans une petite casserole, éloignez de la source de chaleur. Ajoutez les champignons secs et laissez tremper la préparation des autres ingrédients.

2 Faites chauffer le wok, ajoutez 1 cuillerée et demie à soupe d'huile et, quand elle est bien chaude, faites revenir le poulet à feu vif 3 à 4 minutes, jusqu'à ce que la viande commence à prendre couleur. Sortez du wok à l'écumoire et réservez.

3 Mettez le reste de l'huile et le beurre à chauffer dans le wok, faites revenir doucement l'oignon 5 minutes. Puis ajoutez les champignons de Paris, faites cuire 5 minutes. Saupoudrez de paprika et de thym et faites revenir 30 secondes en remuant.

4 Ajoutez les girolles et leur liquide de trempage, puis versez le bouillon et remettez le poulet dans le wok. Faites cuire 1 à 2 minutes jusqu'à ce que le poulet soit bien cuit.

5 Versez la crème fraîche et quand tout est bien réchauffé, assaisonnez de sel et de poivre. Décorez de brindilles de thym frais et servez immédiatement avec 1 cuillerée à soupe de crème fraîche et du riz ou des nouilles chinoises.

Le bon truc

Les champignons secs devraient être trempés dans un liquide très chaud mais non bouillant pendant 20 minutes au minimum. Ne jetez pas ce liquide, utilisez-le pour ne rien perdre du parfum des champignons.

Crevettes à la méditerranéenne

1

INGRÉDIENTS

Pour 4 personnes

20 scampi ou grosses crevettes
3 cuil. à soupe d'huile d'olive
1 gousse d'ail épluchée et écrasée
le zeste râpé et le jus de ½ citron non traité
brins de romarin frais

Pour le pesto et la sauce aux tomates séchées
150 ml de yoghourt à la grecque
1 cuil. à soupe de *pesto* tout prêt
150 ml de crème fraîche
1 cuil. à soupe de pâte de tomates séchées (ou de tomates séchées mixées avec un peu d'huile d'olive)
1 cuil. à soupe de moutarde à l'ancienne
sel et poivre
quartiers de citron pour le décor

2

4

1 Décortiquez les scampi, en laissant la queue. Éliminez la veine noire à l'arrière des crustacés. Rincez et égouttez sur du papier absorbant.

2 Dans un petit bol, fouettez 2 cuillerées à soupe d'huile avec l'ail, le zeste râpé et le jus de citron. Écrasez une branchette de romarin avec le rouleau à pâtisserie, ajoutez-le dans le bol, avant d'y mettre les scampi. Remuez bien pour que les crustacés soient enrobés de marinade et mettez au réfrigérateur jusqu'au moment de les utiliser.

3 Pour les sauces, mélangez le yoghourt et le *pesto* dans un bol, la crème fraîche, la pâte de tomates séchées et la moutarde dans un autre. Assaisonnez de sel et de poivre.

4 Faites chauffer le wok, ajoutez le reste d'huile et faites tourner le wok pour huiler les parois. Retirer les scampi de leur marinade, égouttez sur du papier absorbant. Faites chauffer le wok et quand l'huile est bien chaude, faites revenir les scampi à feu très vif 3 minutes. Éloignez de la source de chaleur dès qu'ils sont roses et bien cuits.

5 Égouttez, arrangez sur des assiettes de service avec une garniture de quartiers de citron, quelques brins de romarin, 1 cuillerée de chaque sauce. Servez chaud ou froid.

Le bon truc

Les crevettes doivent être cuites, mais sans insister, sinon elles deviendraient coriaces. Sortez-les du réfrigérateur 15 minutes avant de les faire cuire.

Émincé de bœuf à l'aigre-doux

1

4

5

INGRÉDIENTS

Pour 4 personnes

350 g de rumsteck
1 cuil. à café d'huile de sésame
2 cuil. à soupe de vin de riz chinois ou de xérès doux
2 cuil. à soupe de sauce de soja foncée
1 cuil. à café de Maïzena
4 cuil. à soupe de jus d'ananas
2 cuil. à café de sucre roux
1 cuil. à café de vinaigre de xérès
sel et poivre
2 cuil. à soupe d'huile d'arachide
2 carottes moyennes épluchées et coupées en bâtonnets
125 g de pois mangetout équeutés et coupés en deux dans la longueur
1 botte de petits oignons blancs épluchés et coupés en lanières
2 gousses d'ail épluchées et écrasées
1 cuil. à soupe de graines de sésame grillées
riz parfumé thaïlandais pour accompagner

1 Émincez le rumsteck en fines languettes, en travers du grain. Mettez dans un saladier avec l'huile de sésame, 1 cuillerée à soupe de vin de riz chinois ou de xérès et 1 cuillerée à soupe de sauce de soja. Mélangez bien, couvrez et laissez mariner 30 minutes au réfrigérateur.

2 Dans un petit bol, délayez la Maïzena dans le reste du vin de riz chinois ou du xérès, puis versez le jus d'ananas, le reste de la sauce de soja, le sucre et le vinaigre. Salez et poivrez, réservez.

3 Faites chauffer le wok, ajoutez 1 cuillerée d'huile, égouttez le bœuf coupé finement en réservant la marinade et faites revenir 1 à 2 minutes, jusqu'à ce qu'il ait pris couleur. Égouttez à l'écumoire et réservez.

4 Versez le reste de l'huile dans le wok, puis faites revenir les carottes 1 minute avant d'ajouter les pois mangetout et les petits oignons blancs. Faites revenir 1 minute de plus.

5 Remettez le bœuf dans le wok avec la sauce à l'ananas, la marinade et l'ail. Continuez la cuisson 1 minute, jusqu'à ce que les légumes soient tendres et la sauce bouillante. Disposez dans un plat de service, saupoudrez de graines de sésame grillées et servez immédiatement avec du riz thaïlandais parfumé.

Le bon truc

Il est important de couper la viande dans le travers du grain, pour qu'elle tienne bien pendant la cuisson.

Curry de kofta aux légumes

INGRÉDIENTS Pour 6 personnes

350 g de pommes de terre épluchées, coupées en dés
225 g de carottes épluchées, grossièrement coupées
225 g de navets épluchés, grossièrement coupés
1 œuf légèrement battu
75 g de farine tamisée
8 cuil. à soupe d'huile de tournesol
2 oignons épluchés, coupés en grosses tranches
2 gousses d'ail épluchées et écrasées
1 petit morceau (2,5 cm environ) de gingembre frais épluché et râpé
2 cuil. à soupe de *garam masala* (mélange d'épices, voir encadré p. 244)
2 cuil. à soupe de concentré de tomates
300 ml de bouillon de légumes
250 ml de yoghourt à la grecque
3 cuil. à soupe de coriandre fraîche ciselée
sel et poivre

1 Amenez à ébullition une casserole d'eau légèrement salée. Plongez-y les pommes de terre, les carottes et les navets. Couvrez et faites cuire 12 à 15 minutes, jusqu'à ce qu'ils soient cuits. Égouttez et écrasez les légumes soigneusement. Ajoutez l'œuf dans la purée, puis la farine pour obtenir une pâte épaisse. Réservez.

2 Faites chauffer 2 cuillerées à soupe d'huile dans le wok et cuire les oignons sur feu doux 10 minutes. Ajoutez l'ail et le gingembre et laissez cuire encore 2 à 3 minutes. Ils doivent être bien tendres et commencer à prendre couleur.

3 Saupoudrez les oignons de *garam masala*, puis mélangez. Ajoutez le concentré de tomates et le bouillon. Amenez à ébullition, couvrez et laissez mijoter 15 minutes.

4 Pendant ce temps, faites chauffer le reste de l'huile dans un wok ou une poêle à frire. Faites tomber 4 à 5 cuillerées de purée dans l'huile et faites frire les *kofta* en les tournant souvent, 3 à 4 minutes, jusqu'à ce qu'ils soient croustillants. Égouttez sur du papier absorbant. Conservez au chaud, à l'entrée du four ouvert, par exemple.

5 Versez le yoghourt et la coriandre dans la sauce aux oignons. Ramenez doucement l'ébullition, salez et poivrez. Répartissez les *kofta* sur des assiettes de service, avec une bonne cuillerée de sauce. Servez sans attendre.

Un peu d'info

Le yoghourt à la grecque est un yoghourt égoutté dans un linge ou une mousseline. Il est donc plus gras et crémeux que le yoghourt habituel.

Bœuf au cognac

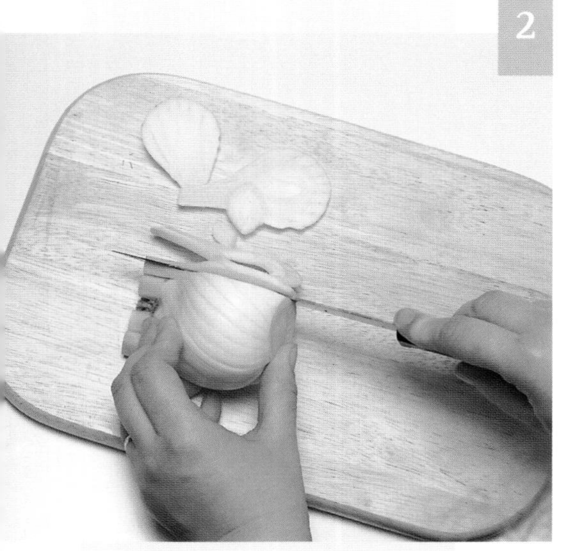
2

4

5

INGRÉDIENTS Pour 4 personnes

450 g de rumsteck
2 cuil. à café de sauce de soja foncée
1 cuil. à café de sucre roux
sel et poivre
1 petit bulbe de fenouil
1 poivron rouge
1 orange
2 cuil. à soupe d'huile de tournesol
15 g de beurre
225 g de petits champignons de Paris
5 cuil. à soupe de bouillon de bœuf
3 cuil. à soupe de cognac
quartiers d'orange pour le décor
riz ou nouilles chinoises pour accompagner

1 Dégraissez la viande, coupez-la en languettes, en travers du grain. Mettez les languettes dans un plat creux avec la sauce de soja, le sucre, un peu de sel et du poivre. Mélangez bien et laissez mariner au réfrigérateur pendant la préparation des légumes.

2 Épluchez le fenouil et coupez-le aussi fin que possible, à partir des tiges jusqu'à la racine. Coupez le poivron rouge en quartiers, épépinez et coupez-le finement. Levez le zeste de la moitié de l'orange, coupez-le en très fines lanières. Pressez le jus.

3 Faites chauffer le wok, versez l'huile et le beurre et faites revenir les languettes de viande 2 minutes, jusqu'à ce qu'elles soient dorées et cuites. Retirez à l'écumoire en pressant le jus sur le bord du wok.

4 Ajoutez le fenouil, le poivron rouge et les champignons dans le wok, faites revenir 3 à 4 minutes en remuant bien, jusqu'à ce que les légumes commencent à devenir tendres. Ajoutez le zeste et le jus d'orange ainsi que le bouillon et faites cuire 2 minutes jusqu'à ce que la sauce ait légèrement réduit. Remettez la viande dans le wok, réchauffez 30 secondes en remuant.

5 Faites chauffer le cognac dans une petite casserole, faites flamber et versez sur la viande et les légumes. Secouez doucement le wok jusqu'à ce que les flammes s'éteignent. Garnissez de quartiers d'orange et servez immédiatement avec du riz ou des nouilles chinoises.

Le bon truc

Si vous préférez ne pas faire flamber dans le wok, versez le cognac et laissez-le cuire doucement avec la préparation, jusqu'à ce que l'alcool se soit évaporé tout en donnant son goût aux aliments.

Foies de volaille sautés au lard et aux champignons à l'ail

1

2

3

INGRÉDIENTS Pour 4 personnes

4 gros champignons de Paris
40 g de beurre fondu et refroidi
2 gousses d'ail épluchées et écrasées
1 cuil. à soupe d'huile de tournesol
3 tranches de lard de poitrine fumée, découennées et hachées
4 échalotes épluchées et coupées finement
450 g de foies de volaille coupés en deux
2 cuil. à soupe de marsala ou de xérès doux
4 cuil. à soupe de bouillon de volaille ou de légumes
6 cuil. à soupe de crème fraîche épaisse
2 cuil. à café de thym frais
sel et poivre

1 Éliminez les pieds des champignons, lavez-les et hachez-les grossièrement. Mélangez 25 g de beurre fondu et l'ail, tartinez les deux côtés des têtes de champignon. Placez-les sur la grille du four.

2 Faites chauffer le wok, ajoutez l'huile et, quand elle est bien chaude, faites revenir le lard de poitrine 2 à 3 minutes. Quand il est croustillant, enlevez et réservez. Ajoutez le reste du beurre, faites revenir 4 à 5 minutes les échalotes et les pieds de champignon hachés, jusqu'à ce qu'ils soient tendres.

3 Ajoutez les foies de volaille, laissez cuire 3 à 4 minutes, jusqu'à ce qu'ils soient bien revenus à l'extérieur mais encore roses et tendres à l'intérieur. Versez le vin et le bouillon, faites cuire 1 minute puis ajoutez la crème, le thym, le sel et le poivre et la moitié du hachis de lard. Faites cuire environ 30 secondes pour réchauffer.

4 Pendant la cuisson des foies, faites griller les têtes de champignon sous le gril du four 3 à 4 minutes de chaque côté, jusqu'à ce qu'ils soient tendres.

5 Disposez les têtes de champignon sur des assiettes chaudes, une par convive. Versez les foies de volaille à la cuillère sur et autour des champignons, répartissez le reste du lard en surface et servez immédiatement.

Un peu d'info

Cette préparation fait une entrée raffinée pour dîner entre amis ou un plat de résistance s'il est servi avec du riz à la vapeur et un légume vert.

Tortillas au poulet

INGRÉDIENTS — Pour 4 personnes

Pour le poulet sauté
4 blancs de poulet désossé sans peau
le zeste râpé et le jus de 1 citron vert
1 cuil. à soupe de sucre
2 cuil. à café d'origan séché
½ cuil. à café de cannelle en poudre
¼ cuil. à café de poivre de Cayenne
3 cuil. à soupe d'huile de tournesol
2 oignons épluchés et coupés finement
1 poivron rouge, 1 vert et 1 jaune épépinés et coupés finement
sel et poivre

Pour les *tortillas*
250 g de farine
1 pincée de sel
¼ de cuil. à café de levure chimique
50 g de graisse végétale

Pour accompagner
crème fraîche liquide
guacamole

1 Hachez le poulet en travers du grain de la chair, en tranches de 2 cm d'épaisseur. Mettez dans un saladier avec le zeste et le jus de citron vert, le sucre, l'origan, la cannelle et le poivre de Cayenne. Mélangez bien et faites mariner au réfrigérateur pendant la préparation des *tortillas.*

2 Tamisez la farine avec le sel et la levure dans un saladier. Incorporez la graisse végétale du bout des doigts. Versez 4 cuillerées à soupe d'eau chaude pour obtenir une pâte épaisse. Pétrissez sur une planche farinée 10 minutes pour qu'elle devienne souple et lisse.

3 Divisez la pâte en 12 morceaux égaux, aplatissez chaque morceau en un cercle de 15 cm de diamètre. Couvrez d'un film alimentaire pour éviter qu'elle sèche avant la cuisson.

4 Faites chauffer un wok ou une petite poêle en Téflon, cuire chaque *tortilla* 1 minute de chaque côté. Les *tortillas* doivent être légèrement colorées et gonflées. Conservez-les au chaud dans un torchon pour qu'elles gardent leur souplesse.

5 Faites chauffer 2 cuillerées à soupe d'huile dans le wok, faites revenir les oignons 5 minutes, jusqu'à ce qu'ils commencent à prendre couleur. Retirez à l'écumoire. Réservez.

6 Ajoutez le reste de l'huile dans le wok et faites chauffer. Égouttez le poulet de sa marinade, faites-le sauter 5 minutes dans le wok chaud, puis remettez les oignons. Ajoutez les tranches de poivron et laissez cuire 3 à 4 minutes de plus, jusqu'à ce que le poulet et les légumes soient bien cuits. Salez et poivrez et servez immédiatement avec les *tortillas*, la crème fraîche liquide et le guacamole.

Dinde panée aux graines de sésame et taboulé à la mangue

INGRÉDIENTS — Pour 4 personnes

- 3 tranches de blanc de dinde sans peau (environ 450 g)
- 4 cuil. à soupe de farine
- 4 cuil. à soupe de graines de sésame
- sel et poivre
- 1 œuf légèrement battu
- 2 cuil. à soupe d'huile de tournesol

Pour le taboulé à la mangue

- 175 g de boulgour (ou de semoule moyenne)
- 2 cuil. à soupe d'huile d'olive
- le jus de ½ citron
- 6 petits oignons blancs épluchés et coupés finement
- 1 piment rouge épépiné et haché finement
- 1 mangue mûre épluchée, dénoyautée et coupée en dés
- 3 cuil. à soupe de coriandre fraîche ciselée
- 1 cuil. à soupe de feuilles de menthe fraîche ciselée

1 Coupez la chair de dinde en languettes en travers du grain. Mélangez la farine, les graines de sésame, le sel et le poivre. Trempez les tranches de dinde dans l'œuf battu puis dans le mélange aux graines de sésame. Mettez au réfrigérateur jusqu'au moment de la cuisson pour que la panure se colle bien.

2 Pour le taboulé, mettez le boulgour dans un saladier, ébouillantez largement avec de l'eau, couvrez d'une assiette et laissez tremper 20 minutes.

3 Dans un saladier assez grand, délayez le sel, le poivre dans le jus de citron puis incorporez l'huile d'olive. Ajoutez les petits oignons blancs, le piment, la mangue, la coriandre et la menthe. Égouttez le boulgour en pressant à la main pour éliminer l'excès d'humidité. Versez dans la sauce du saladier.

4 Faites chauffer le wok, ajoutez l'huile et, quand elle est bien chaude, faites dorer en deux fois les tranches de dinde 4 à 5 minutes, jusqu'à ce qu'elles soient cuites et bien dorées. Servez immédiatement avec le taboulé.

Un peu d'info

Le boulgour, appelé aussi pil-pil, est une denrée très utilisée dans la cuisine du Moyen-Orient. Il a un goût de noisette, une texture ferme, et on le sert aussi bien chaud en garniture que froid en salade.

Teriyaki de saumon aux nouilles et aux légumes croustillants

1

INGRÉDIENTS — Pour 4 personnes

350 g de filet de saumon
3 cuil. à soupe de sauce de soja japonaise
3 cuil. à soupe de mirin (vin chinois) ou de xérès doux
3 cuil. à soupe de saké
1 cuil. à soupe de gingembre frais râpé
225 g de vert de blettes
huile d'arachide pour friture
1 pincée de sel
½ cuil. à café de sucre
125 g de nouilles de riz

Pour le décor
1 cuil. à soupe d'aneth frais ciselé
feuilles d'aneth frais
zeste de ½ citron

2

6

1 Coupez le saumon en tranches très fines et placez-les dans un plat creux. Mélangez sauce de soja, mirin ou xérès doux, saké et gingembre. Versez sur le saumon, couvrez et laissez mariner au réfrigérateur 15 à 30 minutes.

2 Éliminez les côtes des blettes. Posez plusieurs couches de feuilles l'une sur l'autre et roulez-les ensemble bien serrées. Puis coupez finement en lanières.

3 Versez suffisamment d'huile pour que le fond du wok soit couvert sur environ 5 cm de hauteur. Faites frire le vert des blettes en plusieurs fois, environ 1 minute. Il faut qu'il soit croustillant. Enlevez à l'écumoire et déposez sur du papier absorbant, puis sur le plat de service, saupoudré de sel et de poivre.

4 Mettez les nouilles dans un saladier et versez de l'eau bouillante par-dessus. Couvrez et laissez tremper 15 à 20 minutes. Égouttez. Coupez en tronçons de 15 cm environ à l'aide de ciseaux.

5 Préchauffez le gril. Sortez les languettes de saumon de la marinade, réservez celle-ci. Disposez les morceaux de poisson sur la plaque du four et passez au gril 2 minutes. Inutile de tourner les morceaux.

6 Quand l'huile du wok est suffisamment refroidie, videz-en une grande partie pour qu'il n'en reste qu'1 cuillerée à soupe environ. Réchauffez le wok et quand il est bien chaud, mettez les nouilles puis la marinade réservée, faites revenir 3 à 4 minutes. Versez les nouilles dans un plat de service chauffé et disposez les tranches de saumon par-dessus. Garnissez d'aneth, de zestes de citron et d'un peu de verdure croustillante. Servez le reste séparément.

Poulet tikka masala

1

3

4

INGRÉDIENTS Pour 4 personnes

4 blancs de poulet sans peau
150 ml de yoghourt naturel
1 gousse d'ail épluchée et écrasée
1 petit morceau (2,5 cm environ) de gingembre frais épluché et râpé
1 cuil. à café de piment en poudre
1 cuil. à soupe de grains de coriandre écrasés
2 cuil. à soupe de jus de citron vert
quartiers de citrons verts pour le décor
riz blanc pour accompagner

Pour le masala
15 g de beurre
2 cuil. à soupe d'huile de tournesol
1 oignon épluché et haché
1 piment vert épépiné et haché finement
1 cuil. à café de *garam masala* (mélange d'épices)
150 ml de crème fraîche épaisse
sel et poivre
3 cuil. à soupe de feuilles de coriandre fraîche

1 Préchauffez le four à 200 °C (th. 6), 15 minutes. Coupez les blancs de poulet en 3 morceaux chacun, puis faites deux ou trois entailles profondes dans chaque morceau. Mettez-les dans un plat creux. Mélangez le yoghourt, l'ail, le gingembre, le piment en poudre, les graines de coriandre écrasées et le jus de citron vert. Versez sur le poulet, couvrez et laissez mariner dans le réfrigérateur vingt-quatre heures si possible.

2 Retirez le poulet de sa marinade, disposez sur la plaque du four huilée. Cuire au four préchauffé 15 minutes, jusqu'à ce que les morceaux soient bien dorés et cuits.

3 Pendant la cuisson du poulet, faites chauffer le beurre et l'huile dans un wok et faites sauter l'oignon 5 minutes, jusqu'à ce qu'il devienne tendre. Ajoutez le piment et le *garam masala*, faites sauter quelques secondes de plus. Baissez la température. Ajoutez la crème et la marinade. Laissez cuire 1 minute à feu doux, sans cesser de remuer.

4 Ajoutez les morceaux de poulet et cuire encore 1 minute, en remuant pour enduire le poulet de sauce. Rectifier l'assaisonnement. Disposez les morceaux de poulet sur le plat de service chauffé. Ajoutez les feuilles de coriandre ciselées à la sauce, versez-la sur le poulet et servez immédiatement avec du riz blanc.

Une question de goût

Pour faire le *garam masala*, écrasez intimement 1/2 cuillerée à café de graines de cardamome, 2,5 cm de cannelle, 1/2 cuillerée à café de graines de cumin, 1/2 cuillerée à café de clous de girofle, 1/2 cuillerée à café de poivre en grain et une pointe de noix de muscade.

Poires au sirop d'érable et aux pistaches, sauce au chocolat

2

4

5

INGRÉDIENTS — Pour 4 personnes

25 g de beurre
50 g de pistaches non salées
4 poires pas trop mûres épluchées et coupées en quatre
2 cuil. à café de jus de citron
1 pincée de gingembre en poudre (facultatif)
6 cuil. à soupe de sirop d'érable

Pour la sauce au chocolat
150 ml de crème fraîche épaisse
2 cuil. à soupe de lait
½ cuil. à café d'essence de vanille
150 g de chocolat noir, cassé en petits morceaux

1 Faites fondre le beurre dans un wok à feu moyen jusqu'à ce qu'il mousse. Baissez légèrement la température, ajoutez les pistaches et mélangez 30 secondes.

2 Ajoutez les poires dans le wok, puis continuez la cuisson 2 minutes, en remuant fréquemment et délicatement, jusqu'à ce que les pistaches commencent à prendre couleur et que les poires s'attendrissent.

3 Ajoutez le jus de citron, le gingembre (éventuellement) et le sirop d'érable. Faites cuire 3 à 4 minutes, jusqu'à ce que le sirop ait légèrement réduit. Versez les poires dans un plat de service et laissez refroidir 1 à 2 minutes, pendant la cuisson de la sauce au chocolat.

4 Versez la crème et le lait dans le wok. Ajoutez l'essence de vanille et faites chauffer juste au-dessous du point d'ébullition. Éloignez le wok de la source de chaleur.

5 Ajoutez le chocolat et laissez fondre 1 minute, puis mélangez afin que le chocolat soit uniformément mélangé à la crème. Versez dans un petit pot à crème et servez encore chaud avec les poires.

Un peu d'info

Le sirop d'érable est extrait au début du printemps, au moment de la montée de sève. Le liquide clair est mis à bouillir jusqu'à ce qu'il soit doré et qu'il ait acquis la consistance sirupeuse qu'on lui connaît. La plupart des sirops d'érable sont de goût semblable, mais ceux qui sont extraits plus tard en saison peuvent être plus riches en caractère.

Fruits des tropiques

INGRÉDIENTS — Pour 4 personnes

225 g d'ananas en morceaux dans leur jus
2 goyaves
1 papaye
2 fruits de la Passion
25 g de beurre
1 cuil. à soupe de jus d'orange
50 g de crème de noix de coco
50 g de sucre roux
2 cuil. à soupe de liqueur de Malibu ou de rhum blanc
feuilles de menthe pour le décor
crème glacée à la vanille pour accompagner

1 Égouttez les morceaux d'ananas en réservant le jus et en les essuyant sur du papier absorbant. Épluchez les goyaves, coupez-les en quartiers. Coupez la papaye en deux, éliminez les graines noires. Épluchez et coupez en morceaux de 2,5 cm. Ouvrez les fruits de la Passion, éliminez les graines et réservez dans un petit bol.

2 Faites chauffer le beurre dans un wok, ajoutez l'ananas, faites-le sauter à feu vif 30 secondes. Baissez la température, ajoutez les goyaves et les papayes. Versez le jus d'orange et laissez cuire 2 minutes en remuant de temps à autre avec précaution pour ne pas briser les morceaux de fruits.

3 Avec l'écumoire, enlevez les fruits du wok en laissant le jus, disposez-les dans un plat de service chauffé. Ajoutez la crème de noix de coco dans le wok avec le sucre et le jus d'ananas. Laissez cuire 2 à 3 minutes en remuant jusqu'à ce que la crème de noix de coco ait fondu.

4 Ajoutez la liqueur de Malibu ou le rhum blanc et réchauffez, puis versez sur les fruits. Disposez la pulpe des fruits de la Passion sur le dessus et servez chaud avec 1 cuillerée de crème glacée décorée de feuilles de menthe.

Un peu d'info

Les fruits de la Passion sont de petits fruits ronds et rouges, mûrs quand la peau se ride. Pour les consommer, il faut les ouvrir au milieu et les épépiner, puis enlever la chair. Les graines sont comestibles, elles ont beaucoup de goût mais on peut aussi les éliminer.

Pain perdu aux fruits

1

3

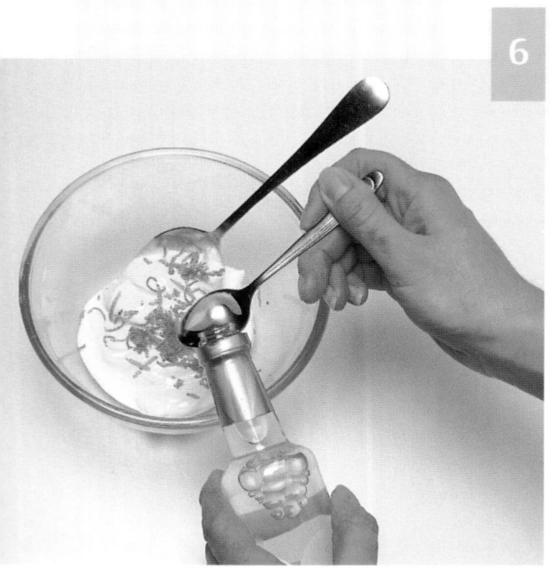
6

INGRÉDIENTS Pour 4 personnes

8 tranches de pain brioché aux raisins de 1 cm d'épaisseur
200 ml de lait
3 cuil. à soupe de liqueur d'orange (Cointreau, etc.).
2 jaunes d'œufs
¼ cuil. à café de cannelle
50 g de beurre
1 cuil. à soupe d'huile de tournesol
5 cuil. à soupe de gelée de framboise

Pour la crème d'orange
150 ml de crème liquide à fouetter
1 cuil. à café de sucre glace
le zeste de ½ orange
1 cuil. à soupe d'eau de fleur d'oranger

1 Éliminez la croûte du pain brioché, puis découpez les tranches en diagonale pour former 4 triangles dans chacune d'elles. Mélangez la moitié du lait avec 2 cuillerées à soupe de liqueur. Trempez rapidement chaque triangle dans le lait parfumé et mettez sur la grille à pâtisserie pour qu'ils s'égouttent.

2 Battez ensemble les jaunes d'œufs, la cannelle, le lait restant ainsi que le lait parfumé s'il en reste. Trempez les triangles de pain brioché dans les œufs et remettez sur la grille.

3 Faites chauffer la moitié du beurre et l'huile dans un wok. Ajoutez les triangles de pain brioché, trois à la fois et faites frire des deux côtés jusqu'à ce qu'ils soient bien dorés. Enlevez du wok et conservez au chaud, à l'entrée du four ouvert par exemple.

4 Quand cela devient nécessaire, ajoutez le reste du beurre et finissez de dorer les triangles de pain brioché. Réservez au chaud pendant la préparation de la sauce.

5 Faites fondre la confiture à feu doux avec la dernière cuillerée de liqueur et 1 cuillerée à soupe d'eau. Laissez cuire 1 minute.

6 Montez la crème en chantilly avec le sucre glace, le zeste d'orange et l'eau de fleur d'oranger jusqu'à ce que de petits pics se forment dans la crème. Servez le pain perdu arrosé de sauce de framboise et accompagné de crème fouettée à l'orange.

Le bon truc

Le beurre chaud doit être surveillé entre chaque cuisson. Il peut tourner au brun clair, ce qui donnera un goût de noisette plaisant aux toasts, mais il ne doit pas brûler.

Petits beignets aux cerises

1

2

3

INGRÉDIENTS Pour 6 personnes

- 50 g de beurre
- 1 pincée de sel
- 2 cuil. à soupe de sucre
- 125 g de farine tamisée
- ¼ cuil. à café de cannelle en poudre
- 25 g d'amandes en poudre
- 3 œufs légèrement battus
- 175 g de cerises dénoyautées
- huile de tournesol pour la friture
- 2 cuil. à soupe de sucre glace
- 1 cuil. à café de poudre de cacao
- feuilles de menthe pour le décor

1 Mettez le beurre, le sel et le sucre dans une petite casserole avec 225 ml d'eau. Faites chauffer à feu doux jusqu'à ce que le beurre fonde, puis ajoutez la farine en une fois et la cannelle. Remuez vigoureusement à la cuillère de bois sur feu doux, jusqu'à ce que le mélange se détache des parois de la casserole.

2 Éloignez de la source de chaleur et ajoutez la poudre d'amande. Incorporez les œufs petit à petit à la pâte en battant bien entre chaque ajout jusqu'à totale incorporation. Enfin, ajoutez les cerises.

3 Versez 5 cm d'huile dans le fond d'un wok et faites chauffer jusqu'à atteindre 180 °C. Aidez-vous d'un thermomètre à sirop. Faites tomber 4 à 5 cuillerées du mélange dans l'huile et faites frire 2 minutes ; les beignets doivent être joliment dorés et croustillants.

4 Retirez du wok à l'écumoire et égouttez sur du papier absorbant. Réservez au chaud à l'entrée du four ouvert pendant la cuisson des autres beignets. Disposez sur une assiette de service, saupoudrez de sucre glace et de poudre de cacao. Décorez de feuilles de menthe.

Le bon truc

Il est essentiel de ramener l'huile à la bonne température entre chaque cuisson.

Bananes et pêches sautées, sauce au caramel et au rhum

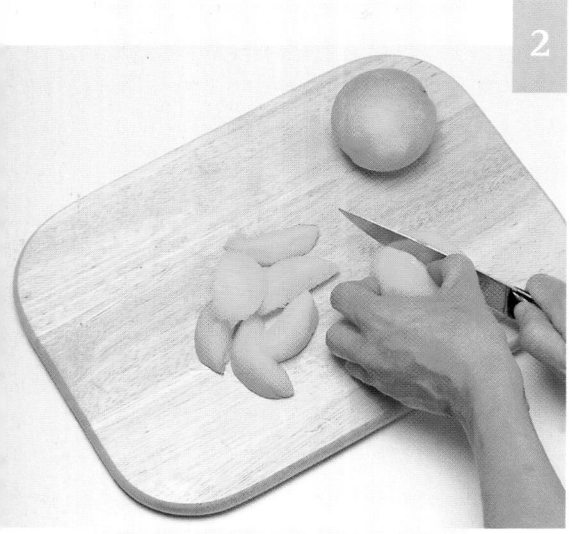
2

3

5

INGRÉDIENTS Pour 4 personnes

2 bananes assez fermes
1 cuil. à soupe de sucre
2 cuil. à café de jus de citron vert
4 pêches fermes mais mûres (ou 4 nectarines)
1 cuil. à soupe d'huile de tournesol

Pour la sauce
50 g de beurre
50 g de sucre roux
125 g de sucre de canne
300 ml de crème fraîche épaisse
2 cuil. à soupe de rhum

1 Épluchez les bananes et émincez-les en diagonale. Placez dans un saladier, saupoudrez de sucre et de jus de citron vert. Mélangez délicatement et réservez.

2 Placez les pêches (ou les nectarines) dans un grand saladier, versez de l'eau bouillante par-dessus et couvrez. Laissez 30 secondes, puis plongez les pêches dans de l'eau froide et retirez la peau. Coupez chaque pêche en 8 quartiers, éliminez le noyau.

3 Faites chauffer le wok, ajoutez l'huile et faites tourner le wok pour imprégner les parois. Ajoutez les fruits, faites-les sauter 3 à 4 minutes en secouant le wok délicatement pour les retourner et les dorer de tous côtés. Retirez du wok à l'écumoire et versez dans un saladier de service chauffé. Essuyez le wok à l'aide de papier absorbant.

4 Versez le beurre, le sucre et le sucre de canne dans le wok, remettez sur feu très doux en remuant constamment, jusqu'à ce que le sucre ait fondu. Éloignez de la source de chaleur et laissez refroidir 2 à 3 minutes.

5 Versez la crème et le rhum dans le sirop et remettez sur le feu. Amenez à ébullition et faites cuire 2 minutes, sans cesser de remuer, jusqu'à ce que la sauce soit lisse. Laissez refroidir légèrement 2 à 3 minutes et servez avec les pêches et les bananes.

Le bon truc

Il ne faut pas peler les bananes trop longtemps à l'avance car elles ont tendance à se décolorer à l'air. Si c'est nécessaire, trempez-les dans un peu de jus de citron pour les empêcher de noircir.